エッセンシャル
電気化学

玉虫伶太・高橋勝緒 著

東京化学同人

はじめに

プロメテウスが地上に火をもたらして以来，人類は火を使って生活を豊かにしてきた．火の使用は，燃焼という化学反応に伴うエネルギー変化の有効利用であって，人為的なエネルギー変換の最初の形といえる．そのもっとも原始的な例は，ものを燃やすときに発生する熱を使って身体を暖めたり，お湯を沸かしたり，料理をしたりすることである．18世紀半ばにおける蒸気機関の発明は，燃焼反応から力学的な仕事を取出すことを可能にし，これが産業革命をもたらした．この段階までにおけるエネルギー変換の経路は化学反応→熱→仕事というものであったが，18世紀末になると人類は新たな可能性を手に入れることになる．すなわち，ボルタ電池（硫酸水溶液中に亜鉛電極と銅電極とを挿入した電池）またはボルタ電堆（塩化ナトリウムのような電解質の水溶液をしみ込ませた厚紙を亜鉛板と銅板との間に挟んだものを亜鉛｜電解質｜銅｜亜鉛｜電解質｜銅｜……のように多数重ね合わせた電池）の発明(1799)によって，電気を実際に利用できるようになったのである．歴史的には，人類が手にした最初の電池は，必ずしもボルタ電池とはいえないようである．紀元前後のもので，電池に使ったとしか考えようのない容器がイラクの遺跡から発掘されているからである．とはいうものの，科学的な研究や応用への道を開いたボルタ電池の功績はきわめて大である．

ボルタ電池は，電池内で進行する化学反応によって1対の電極間に電圧が発生し，電極間につないだ物体に電流を流すことができるという事実を明確に示した．これは，化学反応→電気→仕事という経路の確立であって，エネルギー変換の歴史上革命的ともいえる重要なことである．ボルタ電池の発明にすぐ引き続いて，カーライルとニコルソンは水の電気分解に成功し，デイビーは融解塩の電気分解でアルカリ金属を単離した．19世紀初頭におけるこれらの研究は，まさに，今日の電気化学の端緒を開いたものといえる．19世紀の半ばになると，ファラデーは化学反応と電流との関係を調べて，有名なファラデーの電気分解の法則を提出

し，ここに定量的な電気化学の基礎が確立した．さらに19世紀末になって火力発電による電力の供給が始まると，電気化学の工業への応用(たとえば，アルミニウムの電解精錬(1886年)など)が可能になった．

　化学反応を利用して電気を効率よく発生させるにはどうするか，また，電気の力でどんな化学反応をどのくらいの速さでどの程度まで進行させることができるか．これが電気化学における基本的な主題である．この主題の中には，化学エネルギーと電気エネルギーとの相互変換，電極/溶液界面で進行する反応(電極反応)，電極/溶液界面の構造，電解質溶液内でのイオンの移動などが含まれている．このような電気化学の諸問題を取扱うには，熱力学的平衡論，化学反応速度論，分子構造論に加えて固体論や物性論に関する基礎知識が要求される(次ページ図参照)．また，電気化学的現象の研究では，電圧・電流のような電気的な量の測定と解析が重要であるので，電磁気およびエレクトロニクスの初歩的な知識が必要になる．このように述べてくると，電気化学は化学の他の分野とはいささか異なる特殊な難解なものと思われがちであるが，基本的な主題を理解するのに必要な基礎知識は，一般物理化学の教科書で取扱う程度のもので十分なのである．強いて付け加えることといえば，普通の化学反応に関与するエネルギーに電気的なエネルギーの寄与を考慮し，実験面では簡単な電気回路の知識を取入れる必要があることくらいである．

　今日，電気化学は基礎科学および応用科学の両面で重要な役割を演じている．たとえば，電極反応の本質が電子移動である関係上，生体内での電子移動や電位の発生機構，ひいては神経や脳内での生命機構の研究などにおいて電気化学的な考え方や手法が役立つことも多い．また，電気化学の応用分野は，各種の実用電池をはじめとし，電気分解による物質の合成や精製，電気化学的な表面処理(たとえば めっき)，各種の電気化学的センサーや電気化学的分析法など，きわめて広範囲に及んでいる．特に最近は，環境問題に関連して，低公害のエネルギー源(たとえば燃料電池)の開発において電気化学の果たす役割は大きい(次ページ図参照)．

　本書の目的は，電気化学の理論体系や応用分野の全般を包括することではなく，電気化学における基本的な現象とその解釈を，できるだけ簡

潔な形で(具体的には,大学学部における半期(1回90分で12〜15回程度)の講義で),理解できるようにすることである.まず,比較的馴染みの深いダニエル電池の例について電気化学的な基本現象を紹介し(1章),つぎに電極/溶液界面で起こる酸化還元反応(電極反応)と電圧・電流との関係(2章),酸化還元反応と電池の起電力との関係(3章)を調べ,最後に電

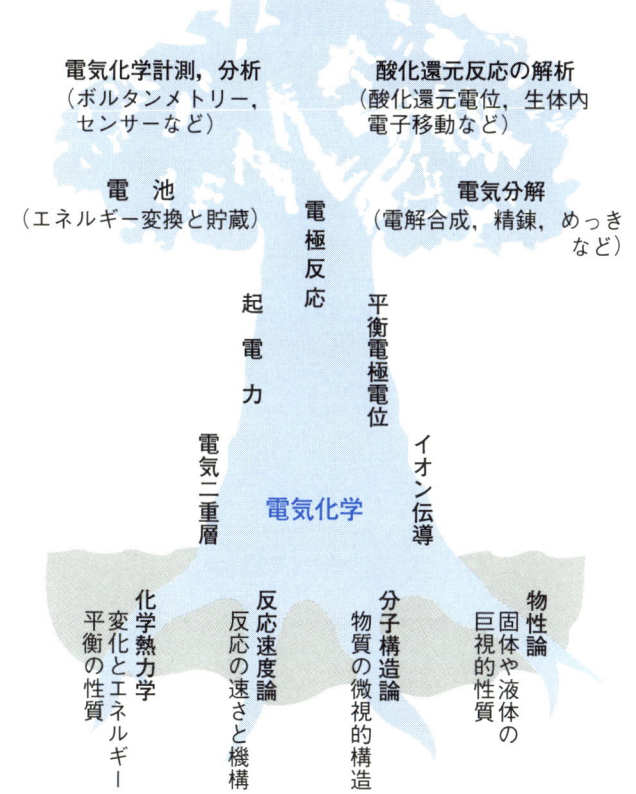

解質溶液の電気伝導性(4章)について述べる.模式図や概念図によって理論を抽象的に説明するだけではなく,著者の一人(高橋)が本書のために特に新たに測定した実験結果(精密というよりは,原理的にわかりや

すい系)を使って,それをどのように解析し,どんな知見が得られるかを具体的に示すように努めた.これは,本書の特長の一つである.本文の流れからは少しずれるが興味のある歴史的事実,新しい話題,応用分野,測定回路の説明などは,コラムの形で付け加えてある.巻末には,日本語で出版されている代表的な参考書をあげておいた.本書で電気化学とは何かを知り,電気化学への興味をもった読者は,より進んだ参考書によって理解を深めて欲しい.

　本書を企画し,その出版の機会を提供された東京化学同人の小澤美奈子氏,ならびに面倒な編集に尽力された山田豊氏および長岡達也氏に深く感謝する.

2000年1月

著　者

目　　次

1. 電気化学的な系と現象 …………………………………………1
1・1　化学反応と電気 ……………………………………………1
1・2　電池の放電と充電 …………………………………………7
1・3　電極反応と電極電位 ………………………………………14
1・4　水の電気分解 ………………………………………………19
　問　題 ……………………………………………………………28

2. 電 極 反 応 ……………………………………………………29
2・1　電極反応速度と電流 ………………………………………29
2・2　電極反応速度定数の電極電位依存性 ……………………34
2・3　電気二重層と電極反応機構 ………………………………42
2・4　電極反応の解析 ……………………………………………52
　問　題 ……………………………………………………………70

3. 起電力と平衡電極電位 ………………………………………73
3・1　電池の起電力 ………………………………………………73
3・2　平衡電極電位 ………………………………………………80
3・3　溶液内反応の平衡と起電力 ………………………………86
3・4　種々の電極の平衡電極電位 ………………………………91
　問　題 ……………………………………………………………109

4. 電解質溶液の電気伝導性 ……………………………………111
4・1　溶液の電気伝導率 …………………………………………111
4・2　電解質の伝導率と濃度 ……………………………………119
4・3　イオンの移動度の濃度依存性 ……………………………128
　問　題 ……………………………………………………………133

参考書 ………………………………………………………………136
問題の解答 …………………………………………………………137
索　引 ………………………………………………………………145

コ ラ ム

1章
1・1 ギブズエネルギーとヘルムホルツエネルギー …………………3
1・2 電圧・電流の測定 ……………………………………………12
1・3 ポテンシオスタット …………………………………………20
1・4 作用電極 ………………………………………………………25

2章
2・1 ファラデーの電気分解の法則 ………………………………31
2・2 マーカス理論 …………………………………………………39
2・3 フィックの法則 ………………………………………………43
2・4 電極/溶液界面を探る ………………………………………50
2・5 ポーラログラフィーとボルタンメトリー …………………58
2・6 めっき …………………………………………………………60
2・7 電解工業 ………………………………………………………65
2・8 光電気化学 ……………………………………………………69

3章
3・1 電解質の活量係数 ……………………………………………77
3・2 腐 食 …………………………………………………………86
3・3 化学センサー …………………………………………………98
3・4 使い捨て電池(身のまわりで使う電池) ……………………106
3・5 繰返し使える電池(蓄電池と燃料電池) ……………………108

4章
4・1 イオンの輸率 …………………………………………………113
4・2 純水の電気伝導率 ……………………………………………117
4・3 2電極セルの電気的等価回路 ………………………………118
4・4 当量伝導率 ……………………………………………………127
4・5 モル伝導率の濃度依存性(経験式) …………………………128
4・6 デバイ-ヒュッケル理論 ……………………………………130

1

電気化学的な系と現象

　市販の乾電池に豆電球や小型モーターをつなぐと，電球が点灯し，モーターが回る．これは，乾電池が電球やモーターに仕事を行うからである．この状態をしばらく続けていると，次第に電球が暗くなり，モーターの回転が遅くなって，やがてすべてが止まってしまう．この過程では，乾電池の中で何らかの変化が起こって，その代償として外部に電気的仕事を行っていたのであるが，その変化が行き着くところまで行ってしまうと，乾電池はいわゆる死んだ状態に到達する．では，乾電池の中で起こっている変化とはどのようなものであるか，その変化と電気的仕事との関係はどうか，といった問題の中に電気化学における基本的なテーマが潜んでいる．

1・1　化学反応と電気
ひとりでに進む現象と，ひとりでには進まない現象
　われわれの身の回りには，放っておいてもひとりでに進行する現象と，そうでない現象とがある．地球上で高いところに置かれた物体は，放置しておけばひとりでに低いところに落ちていこうとする．しかし，低いところにある物体がひとりでに高いところへ移動することはない．低いところの物体を高いところに移すには，たとえばクレーンで物体を持ち上げるなど，外部から物体に何らかの仕事をしなければならない．この事実を科学的に表現するとつぎのようになる：

> 重力場の下で質量をもつ物体は，位置エネルギーの大きい状態から小さい状態に向かってひとりでに移動しようとするが，その反対の方向に物体を移動させるには，外部から物体に仕事をする必要がある．

物質が変化する方向についても同じようなことが見られる．常温・常圧下で氷はひとりでに水に変化するが，反対に水がひとりでに氷になることはない．通常の環境下では鉄はひとりでにさびるが，一度さびた鉄がひとりでに元の姿を取戻すことはない．また，コップの中の水にインクを一滴たらすと，最初はインクと水との境界がはっきりしているが，やがてインクと水とがひとりでに混じり合って全体が薄いインクの色になる．このように一様になった液体をいくら放置しておいても，水とインクとがひとりでに分かれて最初の状態に戻ることはありえない．

重力場の下で質量をもつ物体がひとりでに移動しうる方向を決めているのは物体の位置エネルギーであったが，物質の物理的または化学的な変化の方向を支配しているものは何であろうか．この問に答えるには熱力学の考察が必要であるが，ここではその経過を省略して結論だけを使うことにする．それによると，温度および圧力をそれぞれ一定に保つ(定温・定圧)という条件下における物質の物理・化学的変化の方向を支配するのは**ギブズエネルギー**(Gibbs energy)とよばれる量(記号 G で表す)であることがわかっている．そこで，化学反応の進行方向についてつぎのようにいうことができる：

> 定温・定圧の条件下における化学反応は，ギブズエネルギーの大きい状態から小さい状態に向かってはひとりでに進行しうるが，ギブズエネルギーの小さい状態から大きい状態への変化がひとりでに起こることはなく，その変化を進行させるには，外部から何らかの仕事をする必要がある．

高い支持台の上に置いた重りをただ投げ落としたのでは，重りは何の仕事もせずに地面に衝突し，重りの位置エネルギーの減少分は，衝突時に発生する熱に変化してしまう．しかし，たとえば滑車を使うことによって，落下する重りが他の物体を持ち上げられるように工夫すれば，重りの位置エネルギーの減少分を使って外部に仕事をすることができる．この場合，重りが外部に対して行う仕事の量は位置エネルギーの減少分を超えることはできない．いい換えれば，重りが行うことのできる仕事の最大値は位置エネルギーの減少分に等しい．

これと同じように，ギブズエネルギーの大きい状態にある物質が化学反応でギブズエネルギーの小さい状態に変化する場合，特別な工夫をしなければ，外部に対してたいした仕事を行うことなく，ギブズエネルギーの減少分はほとんど熱として外部に放出されることが多い．しかし，特殊な環境の下で同じ化学反応を進行させることによって，それに伴うギブズエネルギーの減少分を有効に使える仕事として取

東京化学同人
新刊とおすすめの書籍
Vol.16

邦訳10年ぶりの改訂！　　大学化学への道案内に最適

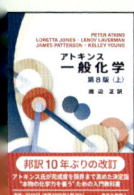

アトキンス 一般化学（上・下）

P. Atkins ほか 著／渡辺 正 訳

B5判　カラー　定価各 3740円
上巻：320ページ　　下巻：350ページ

"本物の化学力を養う"ための入門教科書

アトキンス氏が完成度を限界まで高めた決定版！ 大学化学への道案内に最適. 高校化学の復習からはじまり, 絶妙な全体構成で身近なものや現象にフォーカスしている. 明快な図と写真, 豊富な例題と復習問題付.

有機化学の基礎とともに生物学的経路への理解が深まる

マクマリー 有機化学
―生体反応へのアプローチ―　第3版

John McMurry 著

柴﨑正勝・岩澤伸治・大和田智彦・増野匡彦 監訳

B5変型判　カラー　960ページ　定価 9790円

生命科学系の諸学科を学ぶ学生に役立つことを目標に書かれた有機化学の教科書最新改訂版. 有機化学の基礎概念, 基礎知識をきわめて簡明かつ完璧に記述するとともに, 研究者が日常研究室内で行っている反応とわれわれの生体内の反応がいかに類似しているかを, 多数の実例をあげて明確に説明している.

● 一般化学

教養の化学：暮らしのサイエンス	定価 2640 円
教養の化学：生命・環境・エネルギー	定価 2970 円
ブラックマン基礎化学	定価 3080 円
理工系のための 一般化学	定価 2750 円
スミス 基礎化学	定価 2420 円

● 物理化学

きちんと単位を書きましょう：国際単位系(SI)に基づいて	定価 1980 円
物理化学入門：基本の考え方を学ぶ	定価 2530 円
アトキンス物理化学要論（第 7 版）	定価 6490 円
アトキンス物理化学 上・下（第 10 版）	上巻定価 6270 円 下巻定価 6380 円

● 無機化学

シュライバー・アトキンス無機化学（第 6 版）上・下	定価各 7150 円
基礎講義 無機化学	定価 2860 円

● 有機化学

マクマリー 有機化学概説（第 7 版）	定価 5720 円
マリンス 有機化学 上・下	定価各 7260 円
クライン 有機化学 上・下	定価各 6710 円
ラウドン 有機化学 上・下	定価各 7040 円
ブラウン 有機化学 上・下	定価各 6930 円
有機合成のための新触媒反応 101	定価 4620 円
構造有機化学：基礎から物性へのアプローチまで	定価 5280 円
スミス 基礎有機化学	定価 2640 円

● 生化学・細胞生物学

スミス 基礎生化学	定価 2640 円
相分離生物学	定価 3520 円
ヴォート基礎生化学（第 5 版）	定価 8360 円
ミースフェルド 生化学	定価 8690 円
分子細胞生物学（第 9 版）	定価 9570 円

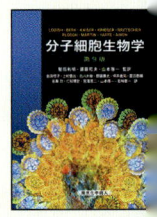

お問い合わせ info@tkd-pbl.com 定価は 10 %税込

●生物学

モリス生物学：生命のしくみ	定価 9900 円
スター生物学（第6版）	定価 3410 円
初歩から学ぶ ヒトの生物学	定価 2970 円

●基礎講義シリーズ（講義動画付）
アクティブラーニングにも対応

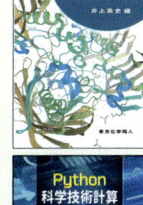

基礎講義 遺伝子工学 I・II	定価各 2750 円
基礎講義 分子生物学	定価 2860 円
基礎講義 生化学	定価 3080 円
基礎講義 生物学	定価 2420 円
基礎講義 物理学	定価 2420 円
基礎講義 天然物医薬品化学	定価 3740 円

●数 学

スチュワート微分積分学 I〜III（原著第8版）

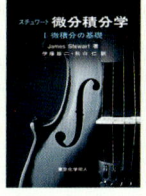

I. 微積分の基礎	定価 4290 円
II. 微積分の応用	定価 4290 円
III. 多変数関数の微積分	定価 4290 円

●コンピューター・情報科学

ダイテル Python プログラミング 基礎からデータ分析・機械学習まで	定価 5280 円
Python 科学技術計算 物理・化学を中心に（第2版）	定価 5720 円
Python, TensorFlow で実践する 深層学習入門 しくみの理解と応用	定価 3960 円
R で基礎から学ぶ 統計学	定価 4180 円

現代化学 CHEMISTRY TODAY

広い視野と教養を培う月刊誌
毎月18日発売　定価 1100 円

- ◆ 最前線の研究動向をいち早く紹介
- ◆ 第一線の研究者自身による解説やインタビュー
- ◆ 理解を促し考え方を学ぶ基礎講座
- ◆ 科学の素養が身につく教養満載

カラーの図や写真多数
電子版あります！

定期購読しませんか？
定期購読がとってもお得です‼
お申込みはこちら→

購読期間（冊数：定価）	冊子版（送料無料）
6 カ月 （6 冊：6,600 円）	4,600 円 （1冊あたり 767 円）
1 カ年 （12 冊：13,200 円）	8,700 円 （1冊あたり 725 円）
2 カ年 （24 冊：26,400 円）	15,800 円 （1冊あたり 658 円）

おすすめの書籍

女性が科学の扉を開くとき
偏見と差別に対峙した六〇年
NSF（米国立科学財団）長官を務めた科学者が語る

リタ・コルウェル, シャロン・バーチュ・マグレイン 著
大隅典子 監訳／古川奈々子 訳／定価 3520 円

科学界の差別と向き合った体験をとおして，男女問わず科学のために何ができるかを呼びかける．科学への情熱が眩しい一冊．

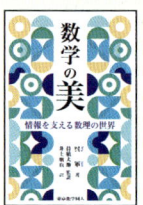

元 Google 開発者が語る, 簡潔を是とする思考法
数学の美　情報を支える数理の世界

呉 軍 著／持橋大地 監訳／井上朋也 訳／定価 3960 円

Google 創業期から日中韓三ヵ国語の自然言語処理研究を主導した著者が, 自身の専門である自然言語処理や情報検索を中心に, 情報革新を生み出した数学について語る．開発者たちの素顔や思考法とともに紹介．

月刊誌【現代化学】の対談連載より書籍化 第1弾
桝 太一が聞く 科学の伝え方

桝 太一 著／定価 1320 円

サイエンスコミュニケーションとは何か？どんな解決すべき課題があるのか？桝先生と一緒に答えを探してみませんか？

科学探偵 シャーロック・ホームズ

J. オブライエン 著・日暮雅通 訳／定価 3080 円

世界で初めて犯人を科学捜査で追い詰めた男の物語．シャーロッキアンな科学の専門家が科学をキーワードにホームズの物語を読み解く．

新版 鳥はなぜ集まる？ 群れの行動生態学

科学のとびら 65

上田恵介 著／定価 1980 円

臨機応変に維持される鳥の群れの仕組みを, 社会生物学の知見から鳥類学者が柔らかい語り口でひもとくよみもの．

コラム 1・1　ギブズエネルギーとヘルムホルツエネルギー

ある系の内部エネルギーを U, 熱力学温度を T, 圧力を p, 体積を V, エントロピーを S, エンタルピーを H とするとき,

$$G = U + pV - TS = H - TS$$

$$A = U - TS$$

で定義される G をギブズエネルギー, A をヘルムホルツエネルギーという. 化学反応に際しての内部エネルギーの変化は定容反応熱に, エンタルピーの変化は定圧反応熱に等しい. ギブズエネルギーは, 定温・定圧変化（はじめの状態の温度と圧力が終わりの状態の温度と圧力に等しいような変化）の熱力学的性質（平衡条件, 取出せる有効仕事など）を論ずるのに便利な量（エネルギーの次元をもつ）で, 定温・定圧変化に際して系が膨張圧縮以外の仕事をなしうる能力を表す量ということができる. 定温・定圧変化は, G が減少する方向にひとりでに進み, G が変化しなくなったときに平衡に到達する. ヘルムホルツエネルギー A は, 定温・定容変化（はじめの状態の温度と体積が終わりの状態の温度と体積に等しいような変化）の熱力学的性質を論ずる際にギブズエネルギーと同様の役割を演ずる量である. すなわち, 定温・定容変化は, A が減少する方向にひとりでに進み, A が変化しなくなったときに平衡に到達する. 実際の化学反応を問題にするとき, 定温・定圧変化か定温・定容変化かを必ずしも区別する必要がないような場合には, ギブズエネルギーとヘルムホルツエネルギーとをまとめて自由エネルギー (free energy) とよぶことも多い. （詳しくは, たとえば D.H.Everett 著, 玉虫伶太, 佐藤 弦 訳, "入門化学熱力学（第2版）", 東京化学同人 (1974) を参照されたい.）

出せる可能性がある. 上述の重りの場合と同様に, 化学反応から取出しうる有効な仕事の最大量は, 反応に伴うギブズエネルギーの減少分に等しい.

> われわれが日常使用している各種の電池は, ひとりでに進行しうる化学反応を利用して, その反応に伴うギブズエネルギーの減少分を電気的な仕事に変換する仕組みである. これに対して, 電気分解または簡単に電解とよばれる現象は, 外部から電気的な仕事を加えることによって, ギブズエネルギーの小さい状態から大きい状態に向かって化学反応を進行させることである.

化学反応に電気的仕事をさせる

電気的な負荷の一例としてモーターを取上げよう．ここで電気的な負荷というのは，電池のような電源がそれに対して電気的な仕事をする物体のことである．モーターに適当な電源をつないで電圧 U を加えると，モーターの回路に電荷 Q が流れてモーターが回転したとする．このとき電源がモーターに行った電気的仕事 w は，

$$w = UQ \tag{1・1}$$

で与えられる．そこで，電池が電気的仕事を行うためには，その端子間に電位差が存在し，電池内で化学反応が進行する際に電荷が外部の負荷に流れだす必要があることがわかる．電池における電荷の流れはどのようにして起こるのであろうか．イギリスの物理化学者 J. F. Daniell が 1830 年代に発明した**ダニエル電池**(Daniell cell)を例にとって，その仕組みを示そう．

種々の化学反応の中で，反応に関与する物質間で電荷が移動するのは"酸化還元反応"である．

物質から電子を奪い取る反応が"酸化"で，物質に電子を付与する反応が"還元"である．

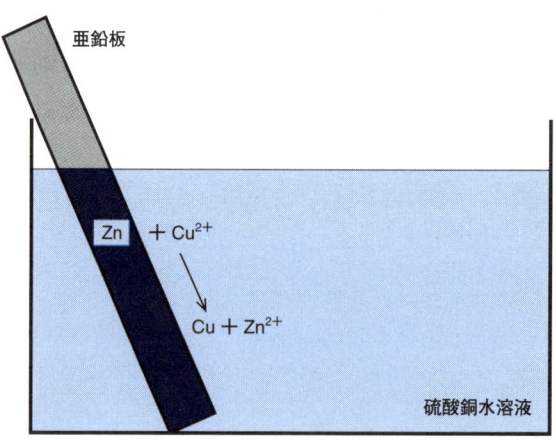

図 1・1　硫酸銅水溶液に亜鉛板を入れる．

1・1 化学反応と電気

　一例として，硫酸銅水溶液中に亜鉛板を挿入してみよう．硫酸銅水溶液と接触している亜鉛板の表面は，図1・1に示すように，瞬く間に赤黒く変色するであろう．これは，金属亜鉛が亜鉛イオンに酸化されて溶けだすと同時に，銅イオンが金属銅に還元されて亜鉛板上に析出する反応，

$$\text{Zn(s)} \longrightarrow \text{Zn}^{2+}\text{(aq)} + 2e^- \qquad (1\cdot 2)$$

$$\text{Cu}^{2+}\text{(aq)} + 2e^- \longrightarrow \text{Cu(s)} \qquad (1\cdot 3)$$

がひとりでに進行するからである．ここで，物質を表す化学式の後ろについている(s)または(aq)は，それらの物質がそれぞれ固体状態または水溶液状態であることを示している．

　図1・1の例では，全体としては(1・2)式と(1・3)式との和で表される反応，

$$\text{Zn(s)} + \text{Cu}^{2+}\text{(aq)} \longrightarrow \text{Zn}^{2+}\text{(aq)} + \text{Cu(s)} \qquad (1\cdot 4)$$

がひとりでに進行し，亜鉛板から溶液中の銅イオンへ電子が移動する．しかし，その電子移動は亜鉛板と硫酸銅水溶液との界面という局部だけで進行することになり，その際の電子の流れを外部に取出して，それに電気的仕事をさせることはできない．

　このような反応から電気的仕事を取出すには，酸化反応(1・2)が起こる場所と還元反応(1・3)が起こる場所とを空間的に分離して，これらの反応に伴う電子の流れを外部に取出せるような仕組みを作ればよいはずである．このような条件を満足する仕組みの一例がダニエル電池で，図1・2(a)にその概念図を，(b)に具体的な構造の一例を示す．この電池は，硫酸亜鉛水溶液中に金属亜鉛を**電極**(electrode)として挿入した亜鉛電極系と，硫酸銅水溶液中に金属銅を電極として挿入した銅電極系との二つの部分からできている．図1・2(a)中の多孔性隔壁は，イオンの通過を妨げずに，両方の溶液が物理的に混じり合うのをできるだけ阻止するためのものである．具体例(b)のダニエル電池は，150 cm^3 のビーカーに溶液と電極を挿入して構成されている．電極は幅約1 cm，厚さ約1 mm の亜鉛板と銅板で，長さ約3 cm の先端部分を溶液中に挿入してある．溶液には濃度がいずれも 0.5 mol dm^{-3} の硫酸亜鉛水溶液と硫酸銅水溶液を，また，隔壁には濾紙(周囲を粘着テープでビーカー壁に固定)を使用した．

　図1・2のような電池の構成を形式的に表すにはつぎのような**電池図式**(cell diagram)を用いると都合がよい．

$$\text{左端子}|\text{Zn(s)}|\text{ZnSO}_4\text{(aq)}\vdots\text{CuSO}_4\text{(aq)}|\text{Cu(s)}|\text{右端子} \qquad (1\cdot 5)$$

電池図式中の縦棒|は状態の異なる2相の接触界面を，破線の縦棒⋮は組成の異なる溶液間の接触界面を表す．また，左右の両端子は同じ金属でできているものとす

る．電池の端子相は，以下に述べる理由で重要な意味をもつものであるが，一般に電池の両端には必ず端子がついているという前提で，電池図式を書くときには端子を省略することが多い．

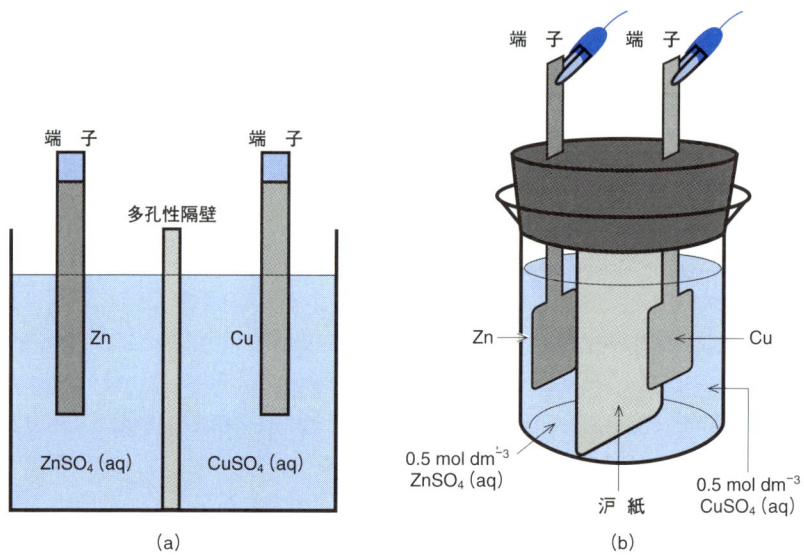

図 1・2 ダニエル電池．(a) 概念図，(b) 具体的な構造の例

ここで，電池の端子間の電圧を表すのに，つぎの約束をしておこう：

> 電池図式において，右側の端子の内部電位 $\phi^{右端子}$ から左側の端子の内部電位 $\phi^{左端子}$ を引いたものを，その電池の端子間電圧（または簡単に電池の電圧）とよんで，記号 U で表す．
> $$U = \phi^{右端子} - \phi^{左端子} \qquad (1\cdot6)$$

たとえば，電池図式(1・5)で表したダニエル電池の端子間電圧は，
$$U = \phi^{銅電極の端子} - \phi^{亜鉛電極の端子}$$
で与えられる．同じダニエル電池でも，それを図式，
$$左端子 \mid Cu(s) \mid CuSO_4(aq) \vdots ZnSO_4(aq) \mid Zn(s) \mid 右端子$$
で表した場合には，その端子間電圧は，
$$U = \phi^{亜鉛電極の端子} - \phi^{銅電極の端子}$$

で与えられるから，図式(1・5)で表した場合とは電圧の符号が逆転することに注意してほしい．

ある相の内部電位(inner potential)というのは，真空中で無限遠の所からその相の内部(表面の影響が及ばないようなところ)まで点電荷を運び込むのに要する仕事によって定義される電位であるが，以後単に電位といえば，特に断らないかぎり内部電位を指すことにする．ここで重要なのは，従来の経験によれば，われわれが実測できるのは化学的組成が等しい2相間の電位差であって，化学的組成の異なる2相間の電位差は実測不可能な量であるということである．電池図式の両端に同じ金属の端子がつけてあるのはこのためで，このようにしておけば(1・6)式で定義される端子間電圧 U が実測可能な量になるからである．また，p.14 の(1・13)式で定義される電極電位は，上記の理由で，実測できない量であることを指摘しておこう．

1・2 電池の放電と充電
ダニエル電池の放電

図1・2(b)に示したダニエル電池を組立てて，図1・3(a)のような回路を使って

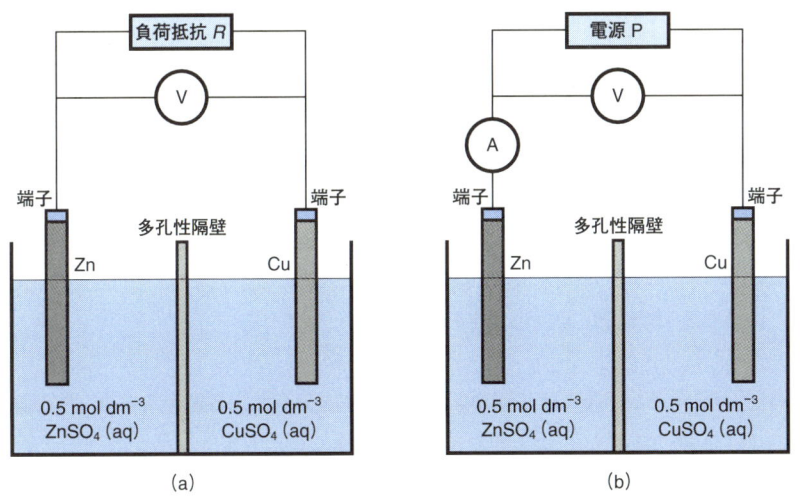

図1・3 ダニエル電池の放電曲線(a)および電流-電圧曲線(b)の測定回路．
A: 電流計，V: 電圧計またはペンレコーダー

以下の測定をしてみよう．ここで，Vは内部抵抗の高い電圧計でよいが，電圧の時間変化を自動的に記録できるペンレコーダーを用いると便利である．

電極間に，たとえば 50 Ω の負荷抵抗 R を接続して電池の外部回路を閉じると，電池の放電が始まり，電流 I が流れる．R の両端には電池の端子間電圧 U がかかっているから，回路に流れる電流は $I = U/R$ で与えられる．したがって，電圧 U を測れば，それは電流 I を測っているのと同じことになる．時間 t の経過に伴う端子間電圧 U（または電流 I）の変化を測定した一例を図 1・4 に示す．この図では，外部回路を閉じた瞬間を $t=0$ としてある．端子間電圧 U は，外部回路を閉じる前，すなわち回路を開いた状態では 1.09 V であるが，負荷抵抗を接続すると急激に約 0.86 V に低下し，その後はほぼ一定の値を示した．この状態では約 0.017 A の放電電流が継続して流れていることになる．この例では，約 50 分放電を続けた後に負荷をはずすと，端子間電圧がただちに元の値に復活している．

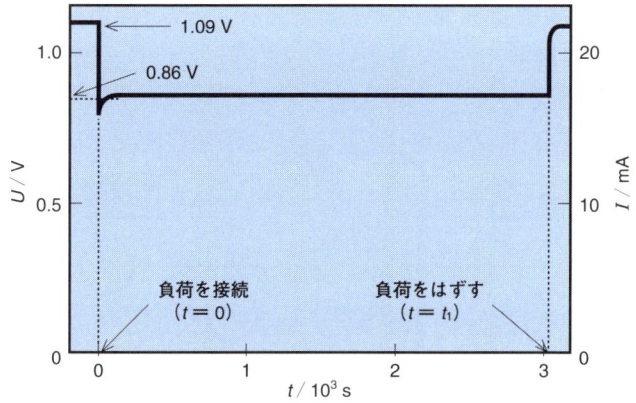

図 1・4 ダニエル電池の放電曲線．電池: 左端子 | Zn(s) | 0.5 mol dm^{-3} ZnSO$_4$(aq) | 0.5 mol dm^{-3} CuSO$_4$(aq) | Cu(s) | 右端子，の端子間に負荷抵抗 50 Ω を接続したときの端子間電圧 U（または電流 $I=U/50$ Ω）の時間変化

時間 t_1 が経過した後に外部回路を開いて放電を終了し，各電極を取出して洗浄，乾燥後に質量を測定すると（電極の質量は実験開始前にも測っておく），表 1・1 に示すように，亜鉛電極の質量は減少し，銅電極の質量は増加していることがわかる．亜鉛および銅電極の使用前後の質量差をそれぞれのモル質量で割ると，放電に際して両電極で反応した亜鉛および銅の物質量（単位は mol）が求められる．

1・2 電池の放電と充電

以上の結果は，ダニエル電池の放電に際して，亜鉛電極と硫酸亜鉛水溶液との界面では亜鉛の酸化による溶出，

$$\text{亜鉛電極系}: \text{Zn(s)} \longrightarrow \text{Zn}^{2+}(\text{aq}) + 2e^- \tag{1・7}$$

が，また銅電極と硫酸銅水溶液との界面では銅イオンの還元による銅の析出，

$$\text{銅電極系}: \text{Cu}^{2+}(\text{aq}) + 2e^- \longrightarrow \text{Cu(s)} \tag{1・8}$$

が起こっていることを示している．これらの反応は，先に§1・1で述べた酸化反応(1・2)および還元反応(1・3)と形式的にはまったく同じであるが，(1・7)式および(1・8)式はそれぞれ別の電極と電解質溶液との界面で進行するという点が特徴である．また，放電に際してダニエル電池の内部では，全体としては，(1・7)式と(1・8)式とを足し合わせた現象，すなわち，(1・4)式と同じく

$$\text{Zn(s)} + \text{Cu}^{2+}(\text{aq}) \longrightarrow \text{Zn}^{2+}(\text{aq}) + \text{Cu(s)} \tag{1・9}$$

が起こっていることになる．

表1・1 ダニエル電池の放電と反応量(実測例)

電極	質量/g 放電前	質量/g 放電後	質量差[a]/mg	反応量[a]/mmol	理論反応量[b]/mmol
亜鉛	5.9778	5.9607	−17.1	−0.261	0.269
銅	4.3462	4.3631	+16.9	+0.266	0.269

a) +は析出，−は溶出に対応する．
b) ファラデーの電気分解の法則から求めた値

(1・7)式や(1・8)式のように電極と電解質溶液との界面で進行する酸化還元反応を**電極反応**(electrode reaction)または**半電池反応**(half-cell reaction)，また(1・9)式のように電池の内部全体で結果的に進行するとみなされる現象を**電池反応**(cell reaction)という．

ここで述べた放電実験において，放電中に流れた電気量 Q は電流-時間曲線を $t=0$ から t_1 まで積分する(I と t で囲まれた部分の面積を求める)ことで求められる．この実験例では $Q = 51.8$ C であった．電極反応(1・7)および(1・8)についてファラデーの電気分解の法則(§2・1参照)を適用すると，電気量 Q と反応電子数 $n(=2)$ およびファラデー定数 F から，理論反応量は $Q/2F$ で与えられる．表1・1に示した実験結果から，両電極の質量変化から求めた反応量と理論反応量がほぼ一致していることがわかる．

電池の端子間電圧と電流：ダニエル電池の起電力

図 1・3 において，ダニエル電池の外部回路の負荷抵抗の代わりに，出力電圧を任意に変えられる直流電源(電圧 0～2 V，電流 0.1 A 程度を供給できるもの)を接続してみよう．電源の出力電圧を調節して電池の端子間電圧 U(亜鉛電極に対する銅電極の電圧)を変えながら，流れる電流 I を測定して U と I との関係(電流-電圧曲線)をグラフに描くと図 1・5 のようになる(この図では，電池内で銅電極から亜鉛電極に向かって流れる電流の符号を正にとってある)．すなわち，U が約 1.1 V

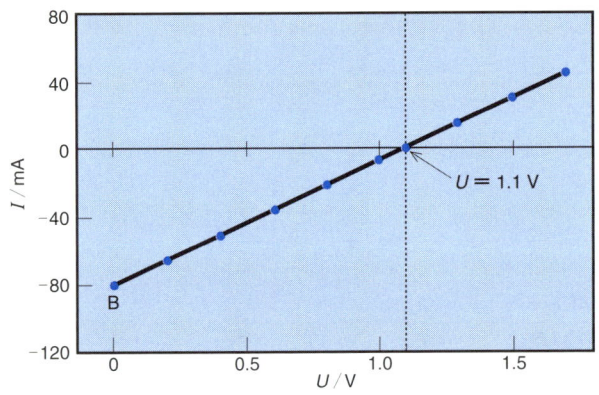

図 1・5 ダニエル電池の電流-電圧曲線

のときに $I=0$ となり，U が 1.1 V よりも大きいか小さいかに応じて電流の向きが反対になることが観察される．$U<1.1\mathrm{V}$ ならば電流は，電池の外部では，銅電極から電源内部を通って亜鉛電極へ流れ込み，さらに電池の内部では亜鉛電極から銅電極に向かって流れる．この状態では亜鉛の溶出と銅の析出が起こっていて，電池が放電していることになる．$U>1.1\mathrm{V}$ のときは，上記とは反対に，電池の外部では亜鉛電極から銅電極の方向に，内部では銅電極から亜鉛電極に向かって電流が流れる．このとき，電池内では亜鉛の析出と銅の溶出が起こり，これが電池の充電に対応する．

ここで，回路に流れる電流について考えておこう．負荷を通して電流 I を時間 t だけ流すと，それによって負荷に流れた電荷 Q の絶対値は，

$$|Q| = \int |I|\,dt \qquad (1\cdot 10)$$

で与えられる．この関係を電流 I について見直すと，電流というのは，単位時間当たりにどのくらい電荷が移動するか，すなわち電荷の移動速度を表す量であることがわかる．

$$|I| = \left|\frac{dQ}{dt}\right| \tag{1・11}$$

電池を含む回路中での電荷の移動は，電荷を帯びた粒子の移動で起こる．電極や負荷抵抗などの金属相の中で自由に動き回ることができる電荷を帯びた粒子は自由電子であるから，電極相内では電荷が自由電子の移動によって運ばれる．これに対して溶液，特に水溶液中では電子が安定に存在することはまれで，電荷を運ぶことができる粒子は正および負のイオンである．電子の移動で電荷が運ばれる物質を**電子伝導体**(electronic conductor)，イオンの移動で電荷が運ばれる物質を**イオン伝導体**(ionic conductor)という．物質の電気伝導性は，電位勾配の存在下における電子やイオンの移動に関する現象で，本書では 4 章で電解質溶液の電気伝導性について述べる．

　一つの回路を構成している各部分の中で電荷を運ぶ粒子が電子またはイオンのどちらかに限られている必要はなく，ある部分は電子が，またある部分はイオンが電荷を運んで差しつかえない．しかし，このような場合に全体を通じて電荷が流れるためには，種類の異なる粒子間での電荷の受け渡しが起こらなくてはならない．電極と電解質溶液との界面では，(1・7)式や(1・8)式のような電極反応によって，電極相中の電子と溶液相中のイオンとの間で電荷の受け渡しが行われる．

　以上の考察から，端子間に外部回路をつないだ電池に流れる電流は，電池を作っている各部分の電気伝導性や各電極の界面における電極反応の性質を反映するものであることがわかる．そのなかで電極反応と電流との関係は，電気化学では特に重要であり，その詳細は 2 章で説明する．電流の方向が変わるということは電極反

表 1・2 ダニエル電池：左端子 | $Zn(s)$ | 0.5 mol dm^{-3} $ZnSO_4(aq)$ ⋮ 0.5 mol dm^{-3} $CuSO_4(aq)$ | $Cu(s)$ | 右端子，の端子間電圧と電極反応との関係

端子間電圧	電池内での電流の向き	電極反応の進行方向	
		亜鉛電極系	銅電極系
$U < 1.1$ V	Zn→Cu	$Zn(s) \rightarrow Zn^{2+}(aq) + 2e^-$	$Cu^{2+}(aq) + 2e^- \rightarrow Cu(s)$
$U > 1.1$ V	Cu→Zn	$Zn(s) \leftarrow Zn^{2+}(aq) + 2e^-$	$Cu^{2+}(aq) + 2e^- \leftarrow Cu(s)$
$U = 1.1$ V	$I = 0$	平衡	平衡

応の進行方向の変化に対応し,電流の大きさは電極反応の速さに対応する.ダニエル電池の場合,電流がゼロになる条件下では,電極反応がいずれの方向にも進行しない状態,すなわち平衡の状態にあるといえる.そこで,図1・5の結果は端子間電圧の大きさと電極反応の方向との間に表1・2の関係があることを示唆している.

コラム1・2 電圧・電流の測定

電極間の電位差の検出・測定では,電極間に電圧計を接続することになるが,それによって被測定系の内部に電流が流れるのを極力避けることが重要である.電流が流れると何らかの電極反応が進行することになり,被測定系の状態が乱される.特に平衡系の起電力測定では,電流が流れると平衡状態が破られる.また,通常の電極電位の検出においても,基準電極にある程度以上の電流を流すと電位の安定性が失われる.電流をできるだけ流さずに電圧を測定するには,入力抵抗(交流電圧測定の場合は入力インピーダンス)の高い電圧計を用いる.入力抵抗とは,電圧計の入力端子間の抵抗に相当するもので,この値が高ければ,そこを通って流れる電流は小さくなる.たとえば,入力抵抗 100 MΩでは,1 V の電位差で 10^{-8} A の電流が流れることになるが,この程度の電流の影響ならば通常の測定ではほとんど無視できる.特に電圧検出回路に演算増幅器(OA)を用いた電圧フォロワー回路〔図(a)〕を用いると,フィードバック回路により,増幅器の二つの入力端子(A, B)間の電位差は近似的にゼロに保たれることから,入力回路に流れ込む電流は OA のベース電流程度 (FET 入力型 OA で 10^{-12} A 程度,特殊仕様のものでは 10^{-15} A 程度) となり,それによる影響は高精度,高感度の測定においても無視できる.

電圧測定の読取り精度が高いものとしては,デジタル電圧計あるいはデジタルマルチメーターとよばれるものがあり,安価なものでも3桁半,高性能なものでは8桁程度の読取りができる.機種により入力抵抗が 1〜1000 MΩのものがあるので注意を要する.

電圧の時間変化を測定するためには,記録紙を機械的に送りながらペンが電圧を記録するペンレコーダーがあり,数十秒から数時間の測定に適する.高速変化(1秒程度以下の現象)の測定には,オシロスコープが必要となる.最近は,微小時間ごとの電圧をデジタル記憶して,ブラウン管画面やコンピューターに出力するデジタルオシロスコープあるいはトランジェントレコーダーとよばれる装置が使いやすい.電圧をアナログ/デジタル(A/D)変換器でデジタル化し,コンピューターに入力して図表化することも容易になった.

1・2 電池の放電と充電

図 1・3(b) の回路で $I=0$ になる条件下では，電池の端子間を開放したときに端子間に発生している電圧と，外部の電源 P から端子間に加えられている電圧とがちょうど釣合っていなければならない．このような状況の下では，電池内における電極反応がすべて(したがって，電池反応も)平衡状態を保っていることになる．この特殊な状態に対応する端子間電圧を電池の**起電力**(electromotive force, emf と

電流測定では，電流の経路に電流計を挿入して読取るか，既知の抵抗を挿入して，その両端の電位差からオームの法則により電流を求める．電流計または抵抗を挿入すると，その抵抗(電流計の場合はその内部抵抗)での電圧降下分だけ系に加わる電圧が変動することに注意する必要がある．演算増幅器を用いた無抵抗電流-電圧変換回路〔図(b)〕は内部抵抗が事実上無限小の電流計としてよく用いられている．この回路では，入力端子の電位は常に接地電位に保たれ，流れ込んだ電流 I_{in} は，フィードバック回路の抵抗 R_F による電圧降下分に等しい出力電圧 $E_o(=-I_{in}R_F)$ として検出される．電圧に変換された電流値は前記の方法で記録・表示することができる．

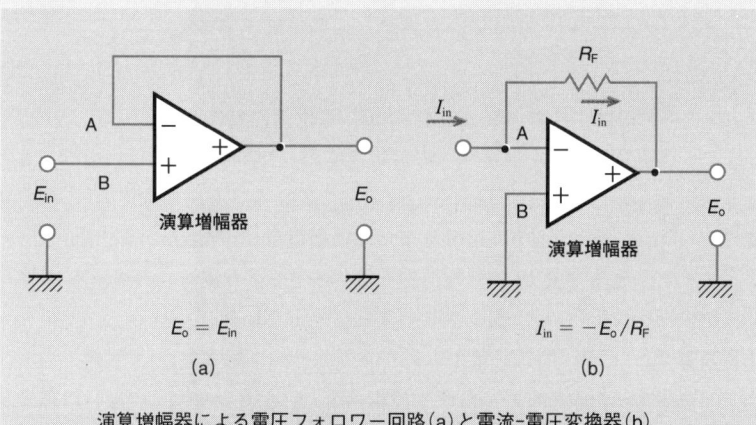

演算増幅器による電圧フォロワー回路(a)と電流-電圧変換器(b)

電圧と電流の関係を記録するには，記録紙上で電圧により縦と横とに移動するペンをもつ X-Y レコーダーがよく用いられる．複数の A/D 変換器を用いて，電流，電圧などをコンピューターに入力して記録・表示するのも有効な方法である．(詳しくは参考書 8 および 12 を参照されたい．)

省略する)とよび，これを本書では記号 U_{emf} で表すことにする．すなわち，

> 電池の起電力とは，電池内における電荷の移動や化学反応がすべて平衡状態を保ち，電池内に流れる電流がゼロに等しいときの端子間電圧である．

1・3 電極反応と電極電位

端子間電圧と電極電位

電池図式(1・5)

　　　　左端子｜Zn(s)｜ZnSO$_4$(aq)┊CuSO$_4$(aq)｜Cu(s)｜右端子

で表されるダニエル電池内に電流 I が流れている場合を考えよう．この電池の端子間電圧 U は(1・6)式で与えられるが，その内容はつぎの六つの項の和に等しいと考えられる．

$$\begin{aligned}
U &= \phi^{\text{銅電極の端子}} - \phi^{\text{亜鉛電極の端子}} \\
&= (\phi^{\text{銅電極の端子}} - \phi^{\text{Cu}}) + (\phi^{\text{Cu}} - \phi^{\text{CuSO}_4\text{(aq)}}) + (\phi^{\text{CuSO}_4\text{(aq)}} - \phi^{\text{ZnSO}_4\text{(aq)}}) \\
&\quad + (\phi^{\text{ZnSO}_4\text{(aq)}} - \phi^{\text{Zn}}) + (\phi^{\text{Zn}} - \phi^{\text{亜鉛電極の端子}}) + IR
\end{aligned}$$
(1・12)

(1・12)式の右辺は，性質の異なる 4 種類の電位差の和になっている．すなわち，1 番目と 5 番目は端子と金属電極との間の電位差，2 番目と 4 番目はいずれも電極と溶液との間の電位差，3 番目のものは組成の異なる溶液間の電位差〔これを**液間電位(差)**(liquid junction potential)または**拡散電位**(diffusion potential)という〕である．また，最後の項 IR は，電池内を流れる電流 I と電池の内部抵抗 R(電極相や溶液相の抵抗の総和)とに基づく電位降下の寄与である．

任意の電極系(以後，特に必要がないかぎり端子相は省略する)，電極｜溶液，において，電極端子相の電位から溶液相の電位を引いたものを，その電極の**電極電位**(electrode potential)と定義する．

> 電極電位 =（電極端子相の内部電位）−（溶液相の内部電位） 　(1・13)

以上をまとめると電池(1・5)の端子間電圧 U が次式で与えられる：

$U = $（銅電極の電極電位）−（亜鉛電極の電極電位）+（液間電位）+ IR

(1・14)

図 1・5 に示した端子間電圧と電流との関係(電流-電圧曲線)は，ダニエル電池

1・3 電極反応と電極電位

内で進行する電池反応と電流との関係を表すものであるが、それぞれの電極界面で進行する電極反応と電流との関係は、このような電流-電圧曲線からはわからない。それは、表1・3にまとめたように、電極反応に影響を及ぼすのは電池の端子間の電圧ではなく、問題の電極と溶液との間の電位差、すなわち電極電位だからである。では、各電極の電極電位と電流との関係を調べるにはどうすればよいであろうか。銅｜硫酸銅水溶液系の場合を例にとって説明しよう。

表1・3 ダニエル電池内の各領域における電位差と、その影響を受ける物理・化学的現象

相または相界面	電位差	物理・化学的現象
Cu｜CuSO$_4$(aq)	銅電極の電極電位	電極反応（Cu/Cu^{2+}イオンの酸化還元）
CuSO$_4$(aq)	IR 電位降下	電位勾配下のイオンの移動
CuSO$_4$(aq)｜ZnSO$_4$(aq)	液間電位（差）	濃度差（厳密には活量差）によるイオンの移動
ZnSO$_4$(aq)	IR 電位降下	電位勾配下のイオンの移動
ZnSO$_4$(aq)｜Zn	亜鉛電極の電極電位	電極反応（Zn/Zn^{2+}イオンの酸化還元）

まず注意すべき点は、組成の異なる 2 相間の内部電位の差は、考えることはできても、実験では測れないということである。したがって、銅電極の電極電位そのものは実測できない量であるが、特定の電極系 RE を基準に選んで、それと銅電極系との組合わせから構成される電池（端子相は省略）、

$$\mathrm{RE}｜\mathrm{CuSO_4(aq)}｜\mathrm{Cu} \qquad (1・15)$$

の端子間電圧は実測できる量である。電池(1・15)において、その内部に電流がほとんど流れないような条件下（この条件下では IR の寄与を無視できる）で端子間電圧を測ると、そのうちわけが次式で与えられる。

$$U = (銅電極の電極電位) - (\mathrm{RE} の電極電位) + (液間電位)$$

そこで、一連の測定に際して RE の電極電位および液間電位が一定に保たれているならば、電池(1・15)の端子間電圧の変化は銅電極の電極電位の相対的な変化を表すことになる。

$$電池(1・15)の端子間電圧の変化 = 銅電極の電極電位の変化$$

したがって、電池(1・15)の端子間電圧 U の値を変えながら電流 I を測定すれば、銅電極の電極電位の変化に伴う電流 I の変化 —— **電流-電位曲線**(current-potential curve)という —— を調べることができる。

一般に電極系 X の電極電位という場合には、(1・13)式で与えられる実測不可能

な量そのものではなく，電池，

$$\text{RE} \mid \text{電極系 X} \qquad (1 \cdot 16)$$

の端子間電圧(電池内を電流が流れない条件下における)を指すことが多い．以後，特に断らないかぎり，本書でも，この端子間電圧を電極 X の電極電位(電極 RE に対して測った)とよんで，記号 E で表すことにする．

> 電極系 X の電極電位 E = 電池(RE ¦ 電極系 X)の端子間電圧　　(1・17)

このように決めた電極電位は，電極 RE に対する値であるから，RE に何を使うかによって数値が変化する量であることを忘れてはならない．

上記の目的に使用する電極系 RE は，電極電位の安定性および再現性に優れたものでなければならない．このような条件を満足する電極系を**基準電極**(reference electrode)または**参照電極**といい，その代表的なものには表面を塩化銀で覆った銀を塩化物イオンの溶液中に挿入した銀-塩化銀電極〔Ag(s) | AgCl(s) | Cl$^-$(aq)で表される電極系〕や，表面を塩化水銀(I)で覆った水銀を塩化物イオンの溶液中に挿入したカロメル電極〔Hg(l) | Hg$_2$Cl$_2$(s) | Cl$^-$(aq)〕などがある(§3・4 参照)．銀-塩化銀電極やカロメル電極の電極電位は，いずれも，溶液中の塩化物イオン濃度で変化する．したがって，これらの基準電極を用いるときには，溶液中の塩化物イオンの濃度を明記する必要がある．たとえば，最近よく用いられるもので，飽和塩化カリウム水溶液中に挿入した銀-塩化銀電極を，本書では便宜上 Ag-AgCl-sat. KCl と記すことにする．

銅 ¦ 銅イオン系の電流-電位曲線

ある電極系における電気化学的現象を調べようとする場合，目的とする電極を**作用電極**(working electrode)という．作用電極の電気化学的性質を測定するときによく使用する最も簡単な測定容器を図 1・6(a)に示す．この容器は，通常 3 電極セルとよばれているもので，作用電極 WE，対極 CE(作用電極と組合わせて電流を流すための電極)，基準電極 RE，不活性ガスの通気口および排気口から構成されている．なお，この図では，基準電極とセル内の溶液との間に，適当な電解質溶液を満たした部分 SB が挿入されている．これは，基準電極先端とセル内の溶液とが直接接触して互いに汚染されるのを防ぐためのもので，**塩橋**(salt bridge)という．塩橋には，主として塩化カリウムや硝酸アンモニウムの水溶液，それらを寒天でゲル状にしたものなどが用いられる．基準電極(塩橋部分を含む)の先端は作用電極の

近くに挿入する．溶液中に溶けている酸素を除去する必要がある場合には，窒素やアルゴンのような不活性ガスを溶液中に通気する．

ダニエル電池の銅電極における電流-電位曲線の測定では，銅電極を作用電極として硫酸銅水溶液中に挿入する．対極には白金線を使うことが多い．最も簡単な測定回路の原理図を図 1・6(b) に示す．電源に通常の可変電圧直流電源を用いる場合には，基準電極端子に対する作用電極の電圧が測定できるように，作用電極と基準電極との間に高入力抵抗の電圧計を接続する．電源にポテンシオスタット（コラム 1・3 参照）を用いれば，基準電極端子に対する作用電極端子の電位を常に設定値に保って電流を測定できる．

基準電極に Ag-AgCl-sat. KCl を用いると，ダニエル電池の銅電極系について図 1・7 のような電流-電位曲線が得られる．すなわち，Ag-AgCl-sat. KCl に対して測った銅電極の電極電位が約 +0.10 V のときに電流がゼロとなり，その前後において電流の向きが逆転することがわかる．約 +0.10 V では，銅電極における電極

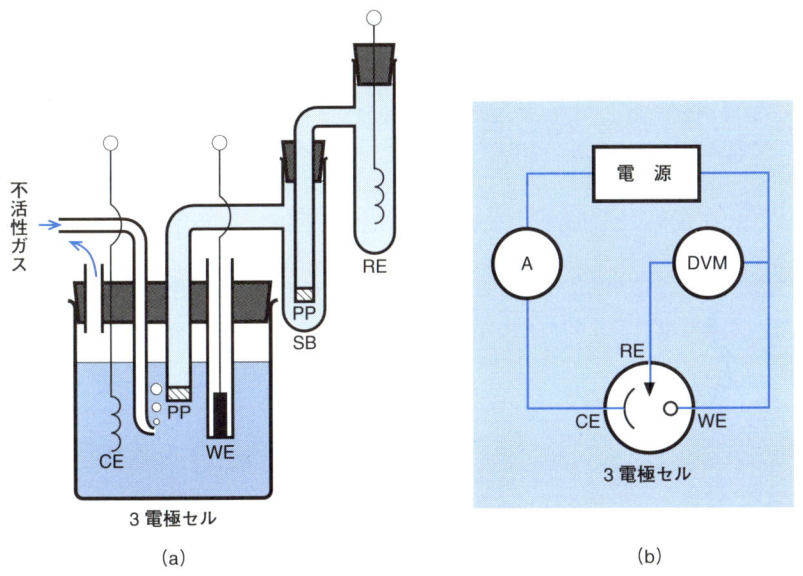

図 1・6　作用電極における電流-電位曲線の測定装置．(a) 3 電極セル．WE: 作用電極，CE: 対極，RE: 基準電極，SB: 塩橋，PP: 多孔性隔壁（たとえばガラスフィルター沪紙の栓）．(b) 簡単な測定回路原理図．A: 電流計，DVM: 高入力抵抗の電圧計

反応,

$$Cu^{2+}(aq) + 2e^- \rightleftharpoons Cu(s)$$

が平衡状態にあることになる．そのときの電極電位を Ag-AgCl-sat. KCl に対して測った銅電極の**平衡電極電位**(equilibrium electrode potential)または簡単に平衡電位という．（平衡電極電位については 3 章で詳しく取扱う．）この例において，電極電位が +0.10 V よりも正ならば，電流は銅電極から硫酸銅水溶液の方向に向かって流れ，電極面では銅の酸化反応,

$$Cu(s) \longrightarrow Cu^{2+}(aq) + 2e^-$$

が進行する．電極電位が +0.10 V よりも負になると，電流は溶液側から電極の方に流れ，電極面では銅イオンの還元反応,

$$Cu^{2+}(aq) + 2e^- \longrightarrow Cu(s)$$

が進行する．

以上の結果は，つぎのように一般化することができる：

> 特定の基準電極に対して測った電極電位が平衡電極電位よりも正ならば，電極反応は酸化方向に進行し，正電荷が電極から溶液の方に向かって流れる．電極電位が平衡電極電位よりも負になると，電極反応は還元方向に進行し，正電荷が溶液から電極に向かって流れる．電極電位が平衡電極電位に等しいときには，電極反応はいずれの方向にも進まず，電流がゼロになる．

ここで，電流の向きに関連して，その符号を決めておこう．電気化学では,

> 電極反応の酸化方向に対応して流れる電流の符号をプラス，還元方向に対応して流れる電流の符号をマイナスと約束する．

図 1・7 における電流の符号は，この約束に従っている．さらに,

> 電極反応が全体として酸化方向に進行している電極をアノード(anode)または陽極，全体として還元方向に進行している電極をカソード(cathode)または陰極と定義する．

電極反応が酸化方向に進んでいるときには，正電荷が電極から溶液の方に，還元方向に進んでいるときには，正電荷が溶液側から電極の方に流れ込んでいることになるから，この定義は真空管におけるアノード，カソードの定義に一致している．

ダニエル電池では銅電極は亜鉛電極に対して正の電位をもつが，放電状態では銅電極がカソード，亜鉛電極がアノードとして働いている．また，図 1・7 の例では，電極電位が +0.10 V(vs. Ag-AgCl-sat. KCl)よりも正の領域では銅電極がアノードとして，+0.10 V(vs. Ag-AgCl-sat. KCl)よりも負の領域では同じ銅電極がカソードとして働いていることになる．これらの例からもわかるように，ある電極がアノードかカソードかは，その電極が他方の電極に対してもつ電位や電極電位の符号とは無関係で，電極反応の向きで決まることに注意してほしい．

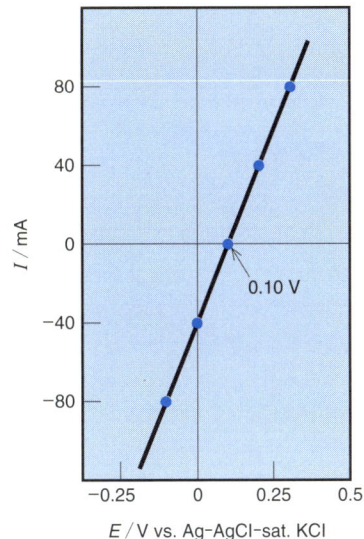

図 1・7　Cu | 0.5 mol dm^{-3} CuSO$_4$ (aq) 電極系における電流-電位曲線

1・4　水の電気分解
電流-電圧曲線

常温・常圧の下で水素と酸素とから水ができる反応はギブズエネルギーが減少する過程であるから，ひとりでに進行することができるはずである．にもかかわらず，この条件下で水素と酸素とを混合しておいても水はいつまで待ってもできてこない．それは，水が生成する反応速度が著しく遅いためである．適当な触媒を使うなどの方法で反応速度を速くしてやれば，常温・常圧下で水の生成を見ることができる．これに対して，常温・常圧下における水の分解(化学式の後ろについている

(l)は液体状態を, (g)は気体状態を表す),

$$2H_2O(l) \longrightarrow 2H_2(g) + O_2(g) \qquad (1\cdot 18)$$

はギブズエネルギーが増大する反応であるから,それがひとりでに進行することはありえない.しかし,§1・1で述べたように,ギブズエネルギーの増加分に見合うような仕事を外部から行ってやれば,水の分解反応(1・18)を推し進めることができるはずである.水の電気分解は,外部から電気的仕事を加えることによって水を水素と酸素とに分解する現象である.電気化学で取扱う系の多くは水溶液系であるから,水の電気分解は基礎的にもまた応用面でも重要な課題であるばかりでなく,水素と酸素をエネルギー源とする酸素-水素燃料電池などのエネルギー変換技術と

コラム 1・3 ポテンシオスタット

ポテンシオスタット(potentiostat)というのは電気化学測定に特有な加電圧制御装置で,作用電極と対極間に電圧を加えて電流を流しながら,基準電極と作用電極間の電圧すなわち電極電位を任意の値に制御する装置である.ポテンシオスタットへの入力信号として一定不変の電圧を加えれば,電極電位は常に一定に保たれる.一定速度で変化する電圧を信号発生器から入力すれば電極電位を掃引することができるし,また交流信号やパルス信号を入力して,電極電位に所定の変化を与えることができる.コンピューターに D/A 変換器を付加して接続し,電極電位を任意に制御することもできる.

演算増幅器(OA)を用いたポテンシオスタット回路の一例を図に示す.基準電極(RE)が作用電極(WE)に対してもつ電位差 E_R は OA 1 により検出される.OA 1 の出力 E_R は,抵抗 R_1 を通して OA 2 の入力にフィードバックされることにより,OA 2 は $E_R = -E_{in}$ の関係を満足するような出力電圧 E_C を対極(CE)に供給する.ここで $R_{in} = R_1$ の場合には,E_{in} はポテンシオスタットへの入力信号電圧の和($E_{in} = E_1 + E_2 + E_3$)に等しい.作用電極は,コラム 1・2 で述べた無抵抗電流-電圧変換回路に接続されており,その電位は接地電位に保たれる.その結果,作用電極の電極電位 E(作用電極が基準電極に対してもつ電圧 E)は,流れる電流に関係なく,常に入力電圧 E_{in} に等しくなるように制御される($E = -E_R = E_{in}$).

定電位電解を行うには入力電圧を一定に保てばよく,また,後述のボルタンメトリー(§2・4 参照)を行うには,時間とともに一定の速度で変化する電圧信号を入力に加えればよい.図のように入力端子を複数(E_1, E_2, E_3)にしておけば,一定の電圧 E_1 に掃引電圧 E_2 や交流電圧 E_3 などを重畳(加算)することができる.作用電極と対

1・4 水の電気分解

も密接な関係をもっている.

水を電解する装置の一例を図1・8に示す.この図において,一対の電極には不活性な白金や炭素棒を,また電解液には不活性な電解質の一例として硫酸ナトリウムの水溶液を用いている.ここで"不活性な電極"とは,その電極物質(白金など)自身は酸化溶出などの反応を起こさず,電極反応に際して溶液中の物質に電子の授受のみを行う電極を指す.また,"不活性な電解質"とは,それ自身は電極反応に関与することなく,その解離によって生じるイオンが溶液に電気伝導性を付与するものをいう.このような役割を果たす電解質を**支持電解質**(supporting electrolyte)という.

極だけで構成される2電極系の加電圧装置としてポテンシオスタットを用いる場合は,ポテンシオスタットのRE端子をCE端子に接続すれば,CE端子とWE端子間の電圧が電流に無関係に常に E_{in} に等しくなるように制御される.入力電圧 E_{in} を可

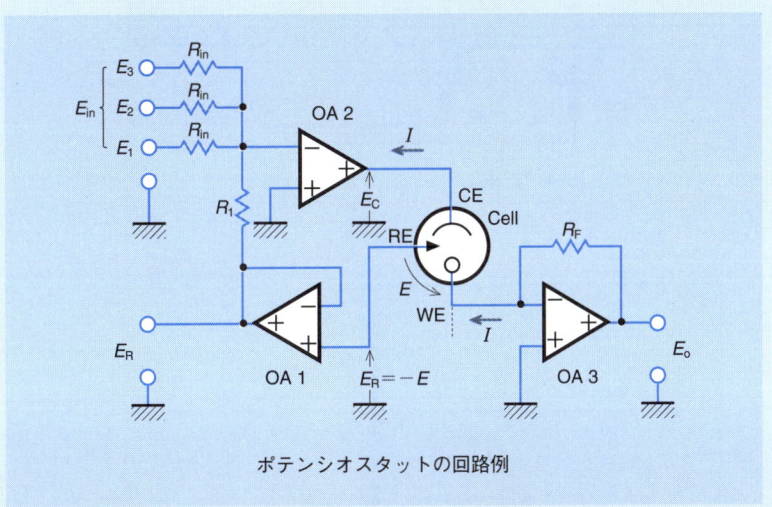

ポテンシオスタットの回路例

変にしておけば,ポテンシオスタットを高性能の可変電圧直流電源として使うことができる.なお,電位制御や電流検出回路には図に例示したもの以外にいく種類かの回路があり,最大出力電圧や最大供給電流に応じて各種の装置が市販されている.(詳しくは参考書 11, 12 を参照されたい.)

22   **1. 電気化学的な系と現象**

図 1・8 に示したように電極間に直流電源を接続し，外部から端子間に加える電圧 U（⊖側に対する ⊕ 側の電極の電圧）を変えながら回路に流れる電流を測ると，図 1・9 のように，ある電圧までは電流がほとんど流れないが，それ以後は電圧とともに電流がほぼ直線的に増大する．電流が顕著に流れている条件下では両電極面から気体が盛んに発生する．⊕ 側の電極面の気体は酸素，⊖ 側の電極面の気体は

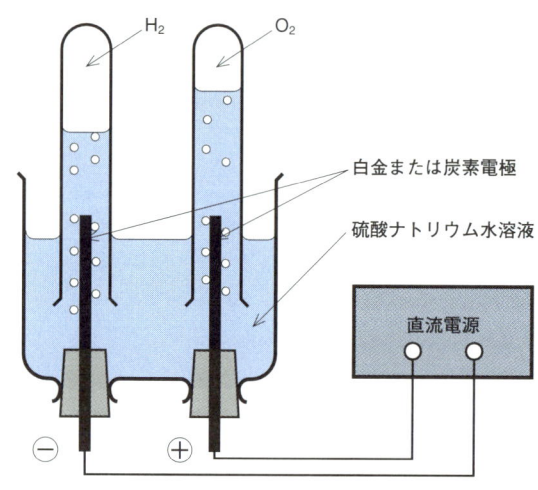

図 1・8　水の電気分解装置

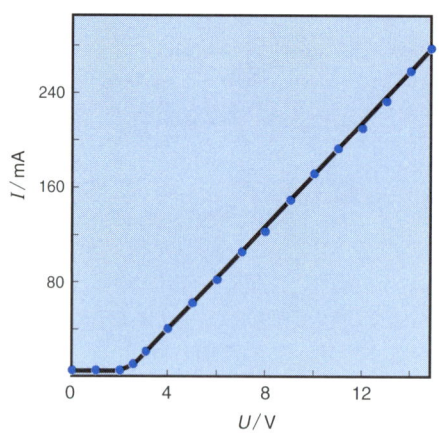

図 1・9　白金電極による硫酸ナトリウム水溶液の電気分解における電流-電圧曲線

1・4 水の電気分解

水素であることがわかる．この例では，端子間の電圧が約 2 V 以上になると，外部から加えられた電気的仕事によって ⊕ 側の電極面では水の酸化，

$$H_2O(l) \longrightarrow \frac{1}{2} O_2(g) + 2H^+(aq) + 2e^- \qquad (1・19)$$

が，また ⊖ 側の電極面では水の還元，

$$2H_2O(l) + 2e^- \longrightarrow H_2(g) + 2OH^-(aq) \qquad (1・20)$$

がそれぞれ進行し，全体としてはこの両者を足し合わせた反応，すなわち水の分解(1・18)が起こっていることになる．この場合，⊕ 側の電極は，そこで酸化反応が進行しているから，アノードとして，また ⊖ 側の電極は，そこで還元反応が進行しているから，カソードとして働いている．

電流-電位曲線

水の電気分解に際して各電極面で起こっている電気化学的現象を調べるには，§1・3 で説明したように，個々の電極の電極電位と電流との関係，すなわち電流-電位曲線を測定すればよい．

作用電極には直径約 3 mm の白金ディスク電極(コラム 1・4 参照)，対極には白金線，基準電極には Ag-AgCl-sat. KCl，電解液には 0.5 mol dm^{-3} 硫酸ナトリウム水溶液，塩橋中には電解液と同じ溶液を用いて測定した電流-電位曲線を図 1・10 の曲線(a) に示す．電極電位が約 +1 V から約 -0.6 V までの領域では電流がほとんど流れないが，1 V よりも正の領域ではプラスの電流が，また -0.6 V よりも負の領域ではマイナスの電流が流れることがわかる．+1 V よりも正の電位領域では電極がアノードとして働き，電極面では酸化反応(1・19)が進行する(水の電気分解における ⊕ 側の電極での挙動に相当する)．これに対して，-0.6 V よりも負の電位領域では電極がカソードとして働き，電極面では還元反応(1・20)が進行する(水の電気分解における ⊖ 側の電極での挙動に相当する)．

0.5 mol dm^{-3} 硫酸ナトリウム水溶液中に少量の酸(たとえば硫酸)を添加して電流-電位曲線を測定すると図 1・10 の曲線(b, c)のような結果が得られる．硫酸の濃度が増加するのに伴い，-0.5 V 付近での還元電流の山(図中 P の部分)が増大する．これは水溶液中の水素イオンの還元，

$$2H^+ + 2e^- \longrightarrow H_2 \quad \text{あるいは} \quad 2H_3O^+ + 2e^- \longrightarrow H_2 + 2H_2O \qquad (1・21)$$

によるものとされる．反応(1・20)および(1・21)はいずれも水素発生反応である

が,電流-電位曲線が示すように,水分子に比べて水素イオンの方がより還元されやすいことがわかる.これと同様に,塩基性水溶液中における酸化反応についても,水酸化物イオンの酸化,

$$2\text{OH}^- \longrightarrow \frac{1}{2}\text{O}_2 + \text{H}_2\text{O} + 2e^- \qquad (1\cdot22)$$

によるアノード電流と水分子の酸化(1・19)に伴うアノード電流とが分離して観測される.

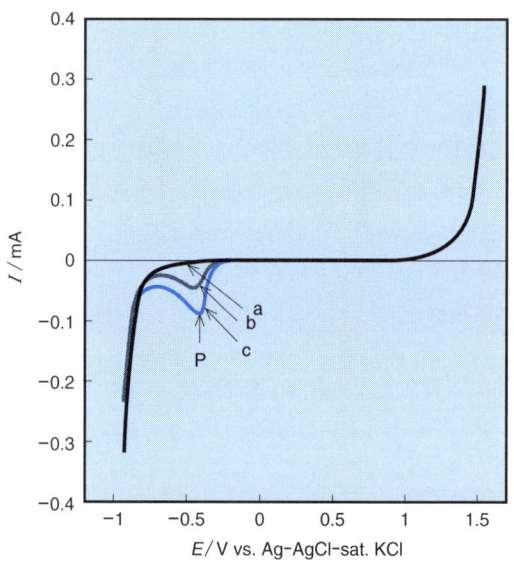

図 1・10 Pt | 0.5 mol dm^{-3} Na$_2$SO$_4$(aq) 電極系における電流-電位曲線(発生した気体の泡で電極面が覆われることなどのために,正確な電流の測定は難しい).(a) 硫酸を添加する前,(b) 少量の硫酸を添加,(c) 硫酸濃度を高める.

以上の結果からつぎのことがわかる.

(i) 白金電極で水(硫酸ナトリウム水溶液)を電気分解するには,一方の電極の電極電位は基準電極 Ag-AgCl-sat. KCl に対して約 +1.2 V よりも正に,もう一方の電極の電極電位は約 −0.8 V よりも負にしなければならない.この事実は,水

1・4 水の電気分解

の電気分解における電流-電圧曲線で述べたように両電極間に約 2 V 以上の電圧をかけなければ水の分解反応が起こらないことに対応する.

(ii) 支持電解質溶液では，何の電極反応も起こらない電位領域，すなわち電極が電気化学的に不活性な電位領域が存在する．このような領域では，電極と溶液との界面を通して継続的に電荷を一方向に通過させるような現象，すなわち電極反応が起こっていないことが示唆される．もし，電極反応が酸化または還元のいずれかの方向に継続的に進行しているならば，それに伴う電流がどちらかの方向に流れるはずだからである．このように，電極電位を変えても電流が流れない電極の状態を分極性であるという．分極状態の電極/溶液界面の構造や性質については§2・3で説明する.

(iii) 電極の活性，不活性は，電極物質の種類はもちろん，同じ白金電極でもその表面状態(結晶構造や表面の粗さなどで決まる活性点の密度など)に著しく依存する．白金電極上に白金黒(多孔質状態の白金)を電解析出させると，鏡面状の白金に比べて活性が増す．鏡面状白金電極では基準電極 Ag-AgCl-sat. KCl に対しておよそ -0.6 V まで水の還元が起こらないのに対し，白金黒付き白金電極では -0.4 V 程度から還元が進行する．電流-電位曲線の測定は，このような電極特性を比較し，水の電解に活性な電極を作りだす研究にも役立つ.

コラム1・4 作用電極

電極/溶液界面における電気化学的諸現象(電極反応，電気二重層など)の研究に用いられる代表的な作用電極にはつぎのようなものがある.

1. 金属電極

各種の金属を作用電極として電流-電位曲線の測定・解析や，電解後の表面観察・分析を行い，金属の反応性や腐食機構などを調べることができる．種々の金属電極は，アノード反応としてその金属が金属イオンとなって溶出する場合や，不溶性の酸化物を生じる挙動，また，カソード反応として，酸化皮膜が還元される挙動や水素発生反応などを調べる目的で使用される．それらの電極反応挙動は，溶液相の組成（溶媒，電解質，pH，反応性物質，吸着物質など）によって著しく影響される.

目的に応じた大きさの試料を作用電極として用いるが，図(a)のように金属の線または棒をガラス管などに封入して，その断面を円板状(ディスク)電極にすると研磨や取

扱いに好都合である．また，図(b)のように金属板にリード線を付加し，板の一部のみが溶液に接するように周囲をエポキシ樹脂や粘着テープでシールして用いるのも便利である．

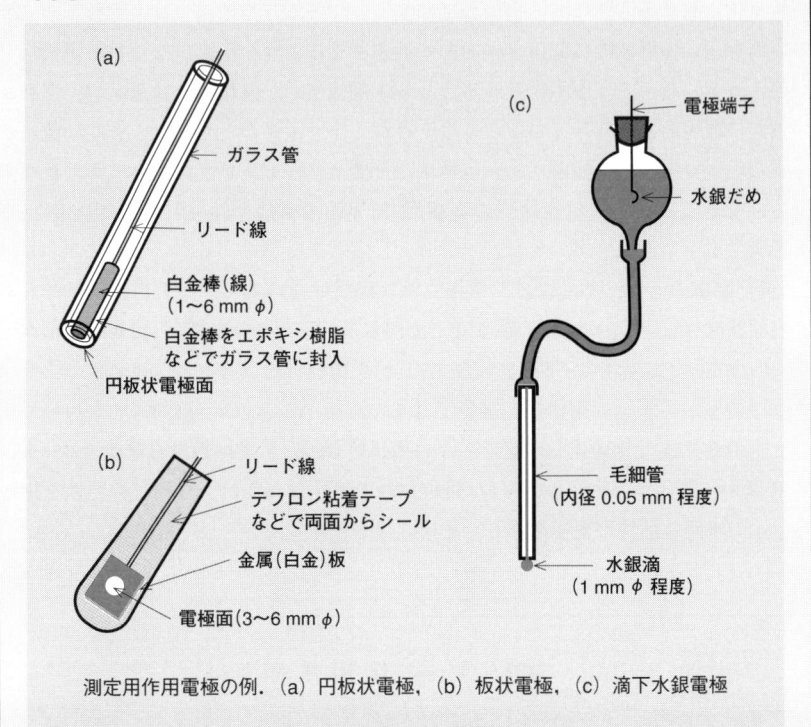

(a) ガラス管
リード線
白金棒（線）
（1～6 mm φ）
白金棒をエポキシ樹脂などでガラス管に封入
円板状電極面

(b) リード線
テフロン粘着テープなどで両面からシール
金属（白金）板
電極面（3～6 mm φ）

(c) 電極端子
水銀だめ
毛細管（内径 0.05 mm 程度）
水銀滴（1 mm φ 程度）

測定用作用電極の例．(a) 円板状電極，(b) 板状電極，(c) 滴下水銀電極

金属電極の中で特に白金電極や金電極は，後述の炭素電極とともに，代表的な不活性電極で，溶液内に存在する種々の物質の電極反応を調べる目的で多用されている．たとえば金属光沢をもつ白金電極は，硫酸ナトリウム水溶液中で，Ag-AgCl-sat. KCl 電極に対し，おおよそ +1～-0.8 V の範囲で溶媒や支持電解質（硫酸ナトリウム）の電気分解を起こさない（この電位範囲を電位窓という）．したがって，この電位範囲で電極反応を起こす物質が溶液中に含まれていれば，その反応挙動を調べることができる．

　白金電極や金電極で電極反応を調べる場合には，通常，表面積が 1 cm^2 以下の電極を用いる．単位面積当たりの電流（電流密度）を求める場合が多いので，溶液と接する電極面の面積を規定しやすい構造がよく，直径 1～6 mm 程度の金属線をガラス管な

どに埋め込んだ円板状電極を用いることが多い．このような円形平面の表面をもつ白金円板電極を極微粒子の研磨紙を用いて鏡面に研磨，洗浄して用いることにより，再現性が比較的よい測定ができる．白金電極の詳細な性質(電極表面への水素の吸着や酸化皮膜の生成など)については他を参照されたい (たとえば参考書 9 および 10)．

　溶液内の物質を電気分解したり，目的の物質を電解合成するような場合には，表面積の大きい電極が作りやすい白金線や，網，多孔質白金などが適している．燃料電池の実験など，気体/電極/電解質の 3 相が接する界面を作る必要がある場合には，多孔質テフロン膜などに白金粉末を塗布した気体透過性の電極が用いられる．

2. 炭素電極

　黒色の炭素材は電気の良導体で，化学的安定性が高いので，白金などの貴金属とともに不活性電極としてしばしば用いられる．炭素電極は白金に比べ，広い電位窓をもつ利点がある．乾電池の ⊕ 極に用いられているグラファイトや，緻密で硬いガラス質炭素(商品名：グラシーカーボン)などがよく用いられる．直径 3 mm 程度のガラス質炭素棒をガラス管などに封入し，その断面を用いる円板電極は，その表面を極微粒子研磨紙でほぼ鏡面に研磨できるので使いやすい．グラファイトの結晶面がそろったHOPG (highly oriented pyrolitic graphite) を用いることもある．また，炭素繊維は直径 1μm 程度の極微小電極として用いられる．シャープペンシルなどの替え芯は，目的次第で便利な炭素電極として利用できる．

3. 滴下水銀電極 (DME；dropping mercury electrode)

　図(c)に示すように，毛細管の先端から水銀を滴下しながら用いる電極で，電気化学の基礎的研究や，ポーラログラフ分析法に多用されてきた．この電極にはつぎのような特徴がある．(1) 絶えず新しい電極表面が形成され，液体であるために微視的な理想平面が得られ，それにより非常に再現性のよい電流-電位曲線などの測定ができる，(2) 滴下する水銀滴の質量や落下時間が界面張力に比例することを利用して比較的簡単に電気毛管曲線が測れる，(3) 水素過電圧が大きい(水の還元が起こりにくく，負電位領域の電位窓が広い)．しかし最近では，水銀の毒性の問題からあまり利用されていない．

問　題

1・1　電池の原理と，電池内で起こる電気化学的現象について述べよ．

1・2　電極反応，電池反応とはどのようなものか．例をあげて説明せよ．

1・3　アノード，カソードの定義を述べよ．

1・4　電解質水溶液に 2 本の電極を挿入し，外部直流電源(約 3 V)をつないで電気分解を行った．下記のそれぞれの場合について，アノードとカソードではどのような電極反応が起こると考えられるか．
 (1) 電極はいずれも銅，電解質水溶液は $0.2\ \mathrm{mol\ dm^{-3}}$ H_2SO_4
 (2) 電極はいずれも白金，電解質水溶液は $0.2\ \mathrm{mol\ dm^{-3}}$ H_2SO_4
 (3) 電極はいずれも白金，電解質水溶液は $0.2\ \mathrm{mol\ dm^{-3}}$ NaCl

1・5　電池の端子間電圧と電流との関係を示す電流-電圧曲線からはどのような情報が得られるか．これに対して，電極電位と電流との関係を示す電流-電位曲線からはどのような情報が得られるか．

2

電 極 反 応

電池内に電流が流れるとき,電極のような電子伝導体中では自由電子が,電解質溶液のようなイオン伝導体中ではイオンが移動して電荷を運ぶ.電極と溶液との接触界面では,電極反応によって電極中の電子と溶液中のイオンとの間に電荷の受け渡しが起こる.電流が定常的に流れるためには,これら一連の過程が同じ速さで進行しなければならない.この章では,実用電池や電気分解などで主役を演ずる電極反応について,その速度と電流との関係,速度定数の電極電位依存性,その反応機構および電極反応が進行する場である電気二重層について説明する.電解質溶液の電気伝導率は,イオンの移動によって電荷が運ばれる現象を反映する量で,それについては 4 章で取上げる.電子伝導体中の電子の移動(金属の電気伝導性)は,本書では取扱わない.

2・1 電極反応速度と電流
電極反応に伴う電流

酸化体 Ox と還元体 Red とから成る酸化還元系 Ox/Red において,1 mol の Ox が電極から n mol の電子を受け取って 1 mol の Red に還元されたり,1 mol の Red が n mol の電子を電極に与えて 1 mol の Ox に酸化されたりする電極反応,

$$\mathrm{Ox} + n\mathrm{e}^- \rightleftharpoons \mathrm{Red} \tag{2・1}$$

を取上げる.この反応の進行によって微小時間 $\mathrm{d}t$ の間に変化する酸化体 Ox,還元体 Red,および移動する電子 e^- の物質量の絶対値をそれぞれ $|\mathrm{d}n_{\mathrm{Ox}}|$,$|\mathrm{d}n_{\mathrm{Red}}|$ および $|\mathrm{d}n_{\mathrm{e}}|$ とすると,それらは化学量論的関係,

$$|dn_{Ox}| = \frac{1}{n}|dn_e| = |dn_{Red}| \qquad (2\cdot2)$$

を満足しなければならない。そこで，電極反応(2・1)の速度 v (SI 単位は mol s^{-1}) の絶対値をつぎのように書くことができる。

$$|v| = \frac{|dn_{Ox}|}{dt} = \frac{1}{n}\frac{|dn_e|}{dt} = \frac{|dn_{Red}|}{dt} \qquad (2\cdot3)$$

1 mol の電子がもつ電荷の絶対値は 1 mol × $N_A e$ (N_A はアボガドロ定数，e は電気素量)に等しいから，反応(2・1)の進行に伴って時間 dt 内に移動する電荷の絶対値 $|dQ|$ は次式で与えられる。

$$|dQ| = N_A e|dn_e| = F|dn_e| \qquad (2\cdot4)$$

ここで F はファラデー定数で，定義によってアボガドロ定数と電気素量との積に等しい。

$$F = N_A e \approx 96485 \text{ C mol}^{-1}$$

したがって，反応(2・1)において変化する物質の物質量と移動する電荷との間にはつぎの関係が成立する。

$$|dQ| = nF|dn_{Ox}| = nF|dn_{Red}| \qquad (2\cdot5)$$

上式は，電解に関するファラデーの古典的法則(コラム 2・1 参照)を多少一般化した表現の一つである。

ところで，§1・2 で述べたように，電流というのは電荷の移動速度〔(1・11)式を参照〕であるから，(2・3)式および(2・4)式からつぎの重要な関係が導かれる。

$$|I| = \frac{|dQ|}{dt} = F\frac{|dn_e|}{dt} = nF|v| \qquad (2\cdot6)$$

すなわち，

電極反応によって流れる電流は電極反応の速度に比例する。

電極反応の進行に基づく電流は，ファラデーの法則に従うことから**ファラデー電流** (faradaic current) または**電解電流** (electrolytic current) とよばれている。

コラム 2・1 ファラデーの電気分解の法則

M. Faraday は 1830 年代に,電解現象を定量的に検討して,電解生成物は電極付近に現れることを明らかにするとともに,生成物の量と電気量との関係についてつぎのような主旨の法則を提出した:

(1) 電流の化学的な作用,つまり電解で生ずる物質の量は通した電気量に厳密に比例する.
(2) 種々の化合物を同じ電気量で電解するとき,各生成物の量はそれらの"化学当量"に比例する.

ここでいう"化学当量"とは,1 mol の水素原子または(1/2) mol の酸素原子と結合する元素または化合物の量のことである.物質の量を表す"当量"という概念は,化学ではいろいろな分野できわめて便利に使われてきたが,それだけに何を表すかがあいまいなことが多く,現在ではその使用を避けるように勧告されている.また,この法則は,電極での還元・酸化による金属の析出・溶出や気体の発生ばかりでなく,広く電極反応一般について成立するものである.そこで,"当量"という言葉を使わずにファラデーの法則(2)を一般化した形で表すには,たとえばつぎのようにすればよいであろう.

電解で種々の物質を還元(または酸化)するとき,各物質の 1 mol を反応させるのに要する電気量は,その際に移動する電子の物質量に比例する.

ファラデーの電気分解の法則は,1 価のイオン 1 個がもつ電荷の絶対値は,イオンの種類や温度,圧力などの条件にかかわりなく普遍的に一定で,いわば電気の原子ともいうべきものであること,そして電気も物質と同様,原子論的な性格をもつことを初めて示唆した点で歴史的な意義が大きい.また,この法則は電極反応速度と電解電流の定量的関係の基礎をなすものである.

全電流と部分電流

一般に $aA+bB \rightleftharpoons cC+dD$ で表される反応が,与えられた条件次第で正方向($\rightarrow$の方向)にも逆方向($\leftarrow$の方向)にも進みうるとき,実際に観測される反応速度 v は正方向への速度 $v_{(正方向)}$ と逆方向への速度 $v_{(逆方向)}$ との差で与えられる(ただし,$v_{(正方向)}$ および $v_{(逆方向)}$ はいずれも正の量とする).

$$v = v_{(正方向)} - v_{(逆方向)}$$

$v_{(正方向)} > v_{(逆方向)}$ ならば $v>0$ で反応は全体として正方向に,$v_{(正方向)} < v_{(逆方向)}$ な

らば $v<0$ で反応は全体として逆方向に進むことになる．これを電極反応($2\cdot 1$)に当てはめれば，その速度 v の絶対値は，Ox が還元される速度 v_{red} と Red が酸化される速度 v_{ox} の差の絶対値に等しいと書くことができる．

$$|v| = |v_{\text{red}} - v_{\text{ox}}| \tag{2・7}$$

ここで，電極反応の進行方向と電流の符号との関係についての約束——酸化方向に対応して流れる電流をプラス，還元方向に対応して流れる電流をマイナスとする（§$1\cdot 3$ 参照）——に従うと，Red の酸化および Ox の還元に対応して流れる電流 I_{a} および I_{c} に対してそれぞれつぎの関係が成立する．

$$I_{\text{a}} = +nFv_{\text{ox}} > 0 \tag{2・8}$$

$$I_{\text{c}} = -nFv_{\text{red}} < 0 \tag{2・9}$$

I_{a} を**部分アノード電流**(partial anodic current)，I_{c} を**部分カソード電流**(partial cathodic current)という．また，全電流 I は，

$$I = I_{\text{a}} + I_{\text{c}} \tag{2・10}$$

で与えられる．

部分電流の大きさ，全電流の符号，全体としての電極反応の進行方向の三者間の関係をまとめて表 $2\cdot 1$ に示す．

表 $2\cdot 1$　電極反応の進行方向と電流の符号との関係

部分電流の大きさ	全電流の符号	全体としての電極反応の進行方向
$I_{\text{a}} > -I_{\text{c}}$	$I > 0$	酸化方向
$I_{\text{a}} < -I_{\text{c}}$	$I < 0$	還元方向
$I_{\text{a}} = -I_{\text{c}}$	$I = 0$	平衡状態

電極反応速度定数

電極反応($2\cdot 1$)式

$$\text{Ox} + ne^- \rightleftarrows \text{Red}$$

において，Red の酸化速度 v_{ox} は電極の表面積 S と電極面における Red の濃度 [Red] とに比例すると仮定しよう．同様に，Ox の還元速度 v_{red} も電極表面積 S と電極面における Ox の濃度 [Ox] とに比例するとすれば，酸化速度および還元速度

2・1 電極反応速度と電流

に対してつぎの関係が成立する．

$$v_{ox} = Sk_{ox}[Red] \tag{2・11}$$

$$v_{red} = Sk_{red}[Ox] \tag{2・12}$$

ここで，比例係数 k_{ox} および k_{red} はそれぞれ酸化および還元方向に関する速度定数である．そこで，(2・11)式および(2・12)式を(2・8)式～(2・10)式に代入すると，電極反応(2・1)の進行に伴う電流がそれぞれ次式で与えられる．

$$I_a = nFSk_{ox}[Red] \tag{2・13}$$

$$I_c = -nFSk_{red}[Ox] \tag{2・14}$$

$$I = nFS(k_{ox}[Red] - k_{red}[Ox]) \tag{2・15}$$

$$j = \frac{I}{S} = nF(k_{ox}[Red] - k_{red}[Ox]) \tag{2・16}$$

ここで，j は電流密度である．

(2・11)式～(2・16)式に出てくる Ox や Red の濃度は，電極/溶液界面における溶液側の濃度(これを電極面濃度とよぶことにする)であって，溶液相の内部における濃度ではないことに注意してほしい．電極反応に関与する物質の電極面濃度は，表 2・2 に示すように，反応の進行とともに時間的に変化する．反応が平衡状態にあって，酸化・還元いずれの方向にも進行しないときには，反応開始後の時間には無関係に，電極面濃度は常に溶液相内部における濃度に等しい．反応が全体として酸化方向に進む場合には，還元体 Red の電極面濃度は時間経過とともに減少し，酸化体 Ox の電極面濃度は増加するであろう．反応が全体として還元方向に進行する場合にはこれとは逆のことが起こる．特別な場合として反応開始直後においては，反

表 2・2 電極反応関与物質の電極面濃度 [Ox], [Red] と溶液相内部の濃度 $[Ox]^°$, $[Red]^°$ との関係

電極反応の進行方向	電流の符号	反応開始後の時間	[Ox]	[Red]
酸化方向	$I > 0$	$t = 0$	$= [Ox]^°$	$= [Red]^°$
		$t > 0$	$> [Ox]^°$	$< [Red]^°$
還元方向	$I < 0$	$t = 0$	$= [Ox]^°$	$= [Red]^°$
		$t > 0$	$< [Ox]^°$	$> [Red]^°$
平衡状態	$I = 0$	時間に無関係	$= [Ox]^°$	$= [Red]^°$

応の進行方向には無関係に，電極面濃度は溶液相内部の濃度に等しいはずである．

2・2 電極反応速度定数の電極電位依存性
バトラーの理論

1章で述べたダニエル電池の銅電極の電流-電位曲線(図1・7参照)からわかるように，電極電位をある程度以上正にすると電極反応は酸化方向に進行し，反対に電極電位がある程度以上負になると電極反応は還元方向に進行する．また，水の電解における水素の発生は，電極電位がある程度以上負にならないと起こらない(図1・10参照)．20世紀の初頭，F. Haber らや J. Tafel はニトロベンゼンなどの還元や，水素イオンの還元による水素ガス発生に伴う還元電流 I_c と電極電位 E との間には次式で表される関係が成立することを見いだした．

$$|I_c| = a \cdot \exp(-bE) \tag{2・17}$$

ここで，a および b は反応の条件で決まる定数である．この形の関係は電極反応における**ターフェル式**(Tafel equation)として知られている．Haber らや Tafel の結果は，電極反応の還元方向への速度定数 k_{red} は電極電位が負になるにつれて指数関数的に増大することを暗示している〔(2・17)式と(2・14)式とを比較してみよ〕．

ターフェル式のような関係が成立する理論的な根拠は何であろうか．化学反応の速度定数 k の温度依存性は一般にアレニウス式，

$$k = A \cdot \exp\left(-\frac{E_a}{RT}\right) \tag{2・18}$$

に従うことが多い．ここで，A は前指数因子，E_a は活性化エネルギー，R は気体定数，T は熱力学温度である．電極反応の速度定数もアレニウス式を満足すると考えられるが，電極反応は電位差の存在下で進行するので，その活性化エネルギーは電極電位によって変化するであろう．イギリスの物理化学者 J. A. V. Butler は1920年代にこの問題を理論的に検討した結果，電極反応の活性化エネルギーに対してつぎのような関係を提出した．

$$E_{a,ox} = E_{a,ox}° - \alpha_a nFE \tag{2・19}$$

$$E_{a,red} = E_{a,red}° + \alpha_c nFE \tag{2・20}$$

ここで，$E_{a,ox}$ および $E_{a,red}$ はそれぞれ酸化方向および還元方向に対する活性化エネルギー，E は電極電位，$E_{a,ox}°$ および $E_{a,red}°$ は電極電位がゼロのときの $E_{a,ox}$ および $E_{a,red}$ の値，n は電極反応に関与する電子数，F はファラデー定数である．ま

2・2 電極反応速度定数の電極電位依存性

た，α_a および α_c は，いずれも 1 以下の正の係数で，その和は常に 1 に等しいと仮定する．

$$\alpha_a + \alpha_c = 1 \quad (0 < \alpha_a < 1,\ 0 < \alpha_c < 1) \tag{2・21}$$

α_a および α_c を，それぞれ，酸化方向および還元方向に関する(**電気化学的**)**移動係数**[(electrochemical) transfer coefficient]という．(2・19)式および(2・20)式は，電極電位をより正にすると，酸化方向の活性化エネルギーが減少し，還元方向の活性化エネルギーが増大することを示している．

電極反応の活性化エネルギー[(2・19)式および(2・20)式]をアレニウス式(2・18)に代入して整理すると，酸化方向および還元方向に関する速度定数に対して次式が導かれる．

$$k_{ox} = k_{ox}° \cdot \exp\left(\frac{\alpha_a nFE}{RT}\right) \tag{2・22}$$

$$k_{red} = k_{red}° \cdot \exp\left(-\frac{\alpha_c nFE}{RT}\right) \tag{2・23}$$

ここで，$k_{ox}°$ および $k_{red}°$ は電極電位がゼロのときの酸化方向および還元方向の速度定数で，酸化方向および還元方向に関する前指数因子をそれぞれ A_{ox} および A_{red} とすると次式で与えられる．

$$k_{ox}° = A_{ox} \cdot \exp\left(-\frac{E_{a,ox}°}{RT}\right) \tag{2・24}$$

$$k_{red}° = A_{red} \cdot \exp\left(-\frac{E_{a,red}°}{RT}\right) \tag{2・25}$$

以上の関係により，電極電位をより正にするにつれて，酸化方向の速度定数は指数関数的に増大し，還元方向の速度定数は指数関数的に減少することになる．

電極反応の速度定数の電極電位依存性についてここで紹介した形の関係に類似の結果は，1930 年前後にハンガリーの M. Volmer，フランスの M. R. Audubert，イギリスの R. W. Gurney らによっても提出されている．今日，われわれは，(2・22)～(2・25)式の形の関係を**バトラー-フォルマー式**(Butler-Volmer equation)，または単に**バトラー式**(Butler equation)とよぶことが多い．その後，電極反応の前指数因子や活性化エネルギーについて新しい理論が提出されているが(コラム 2・2 参照)，バトラー式と少なくとも形式的には同様な関係式が現在でも電極反応の解析に用いられている．

電極反応の平衡条件

電極電位がある特定の値になると，酸化方向の速度と還元方向の速度とが等しくなって，電極反応の速度がゼロになる条件が成立するであろう．これが速度論的立場から見た電極反応の平衡状態で，そのときの電極電位が平衡電極電位 E_e である．すなわち，$E=E_e$ では，

$$v = 0 ; \quad v_{ox} = v_{red} \tag{2・26}$$

したがって，

$$I = 0 ; \quad I_a = -I_c = I_0 \tag{2・27}$$

の条件が成立する(図 2・1)．I_0 は**交換電流**(exchange current)とよばれるもので，電極反応の解析において重要な役割を果たす量である．(2・13), (2・14), (2・22), (2・23)および(2・27)式より，交換電流に対してつぎの関係が導かれる．

$$\begin{aligned} I_0 &= nFS \left\{ k_{ox}° \cdot \exp\left(\frac{\alpha_a nFE_e}{RT}\right) \right\} [\text{Red}]° \\ &= nFS \left\{ k_{red}° \cdot \exp\left(-\frac{\alpha_c nFE_e}{RT}\right) \right\} [\text{Ox}]° \end{aligned} \tag{2・28}$$

ここで，$[\text{Red}]°$ および $[\text{Ox}]°$ は平衡状態における Red および Ox の電極面濃度で，溶液相内部における濃度に等しい(表 2・2 参照)．

移動係数に関する(2・21)式の関係を考慮にいれて(2・28)式を整理すると，平衡電位 E_e に対してつぎの関係が導かれる．

$$E_e = E_c^⦵ - \frac{RT}{nF} \ln \frac{[\text{Red}]°}{[\text{Ox}]°} \tag{2・29}$$

ただし，

$$E_c^⦵ = \frac{RT}{nF} \ln \frac{k_{red}°}{k_{ox}°} \tag{2・30}$$

$E_c^⦵$ は，濃度基準の標準状態，すなわち $[\text{Red}]° = 1 \text{ mol dm}^{-3}$ および $[\text{Ox}]° = 1 \text{ mol dm}^{-3}$ の条件下における平衡電極電位で，これを濃度基準の**標準電極電位**(standard electrode potential)という．(2・29)式で表される形の関係は，19 世紀の末に W. Nernst が提出したもので，平衡電極電位に関する**ネルンスト式**(Nernst equation)として知られている(ネルンスト式の熱力学については§ 3・1, 3・2 を参照)．

濃度基準の標準状態の条件，すなわち $[\text{Red}]° = 1 \text{ mol dm}^{-3}$, $[\text{Ox}]° = 1 \text{ mol dm}^{-3}$,

2・2 電極反応速度定数の電極電位依存性

$E_\mathrm{e} = E_\mathrm{c}^{\ominus}$ を(2・28)式に代入すると，この標準状態では酸化方向と還元方向の速度定数が相等しく，つぎの関係を満足しなければならないことがわかる．

$$k_\mathrm{ox}{}^\circ \cdot \exp\left(\frac{\alpha_\mathrm{a} nFE_\mathrm{c}^{\ominus}}{RT}\right) = k_\mathrm{red}{}^\circ \cdot \exp\left(-\frac{\alpha_\mathrm{c} nFE_\mathrm{c}^{\ominus}}{RT}\right) = k_\mathrm{c}^{\ominus} \quad (2\cdot 31)$$

$k_\mathrm{c}^{\ominus}$ は種々の電極反応の速度を比較するときに重要なパラメーターで，これを**標準速度定数**(standard rate constant)という．

標準速度定数を用いると，任意の電極電位における酸化および還元方向に対する速度定数をつぎのように書くことができる．

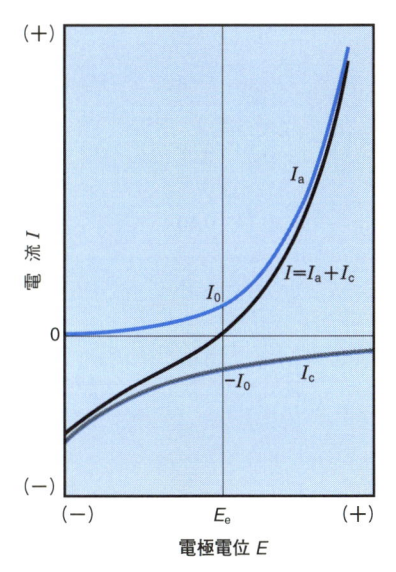

$$k_\mathrm{ox} = k_\mathrm{c}^{\ominus} \cdot \exp\left\{\frac{\alpha_\mathrm{a} nF(E - E_\mathrm{c}^{\ominus})}{RT}\right\} \quad (2\cdot 32)$$

$$k_\mathrm{red} = k_\mathrm{c}^{\ominus} \cdot \exp\left\{-\frac{\alpha_\mathrm{c} nF(E - E_\mathrm{c}^{\ominus})}{RT}\right\} \quad (2\cdot 33)$$

図2・1 電流-電位曲線(概念図)．
I_a: 部分アノード電流，I_c: 部分カソード電流，I: 全電流，I_0: 交換電流

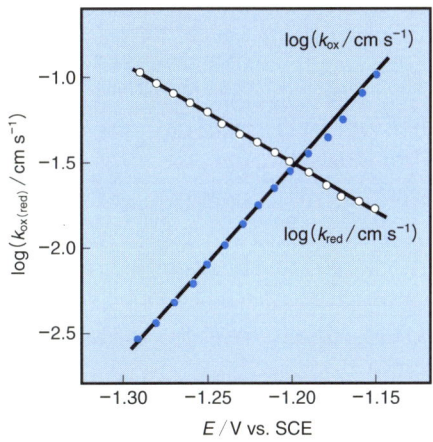

図2・2 水銀電極における[Cr$^\mathrm{III}$(CyDTA)]$+\mathrm{e}^- \rightleftharpoons$ [Cr$^\mathrm{II}$(CyDTA)]の電極反応速度定数と電極電位との関係(温度: 25 ℃，CyDTA: trans-シクロヘキサン 1,2-ジアミン四酢酸，SCE: 飽和カロメル電極)

2. 電 極 反 応

以上の結果は，電極反応の酸化および還元方向に対する速度定数の対数を電極電位に対してプロットすると，傾斜の符号が異なる 2 本の線が得られて，それらの交点から $E_c^\ominus$ と $k_c^\ominus$ とが求められることを示している．アノード移動係数 α_a およびカソード移動係数 α_c は，少なくとも近似的には電極電位によらない定数であることが多く，したがって問題のプロットは 2 本の直線になるのが普通である．図 2・2 は，この種のプロットの実例を示したものである．

標準速度定数は多くの電極反応について測定されていて，その値は，表 2・3 に代表例を示すように，電極反応の種類によって大幅に異なる．

表 2・3 電極反応の標準速度定数および移動係数 (25 ℃)

電極反応	電極系	移動係数 α_a	移動係数 α_c	標準速度定数 $\log_{10}\left(\dfrac{k_c^\ominus}{\mathrm{cm\ s^{-1}}}\right)$
$Cd^{II}+2e^-(Hg)$ $\rightleftharpoons Cd(Hg)$	$Cd(Hg)/Cd^{II}$, 1 M $NaClO_4$	—	0.31	−0.3
$Co^{III}+e^-(Hg)$ $\rightleftharpoons Co^{II}$	DME/ $[Co^{III}$-EDTA], $[Co^{II}$-EDTA], 0.4 M $NaNO_3$ + 0.1 M OAc	0.49	0.52	−1.5
$Cr^{III}+e^-(Hg)$ $\rightleftharpoons Cr^{II}$	DME/ $[Cr(CN)_6]^{3-}$, 0.1 M KCN + 0.1 M KCl	0.43	0.56	−1.7
	DME/ $[Cr^{III}$-EDTA], $[Cr^{II}$-EDTA], 0.4 M $NaNO_3$ + 0.1 M OAc	0.39	0.58	−0.7
$Cu^{II}+2e^-(Hg)$ $\rightleftharpoons Cu(Hg)$	DME/Cu^{II}, 1 M KNO_3	0.71	0.30	−1.7
$Eu^{III}+e^-(Hg)$ $\rightleftharpoons Eu^{II}$	DME/Eu^{III}, 1 M KCl	0.59	0.41	−3.5
$Fe^{III}+e^-(Pt)$ $\rightleftharpoons Fe^{II}$	Pt/ $[Fe(CN)_6]^{3-}$, $[Fe(CN)_6]^{4-}$, 1 M KCl	—	0.61	−1.3
$Ni^{II}+2e^-(Hg)$ $\rightleftharpoons Ni(Hg)$	DME/Ni^{II}, 0.1 M $NaClO_4$	—	0.33	<-8
$Tl^{I}+e^-(Hg)$ $\rightleftharpoons Tl(Hg)$	$Tl(Hg)/Tl^{I}$, 1 M $HClO_4$	—	0.5	>0
$Zn^{II}+2e^-(Hg)$ $\rightleftharpoons Zn(Hg)$	DME/Zn^{II}, 1 M $NaClO_4$	—	0.28	−2.4

DME: 滴下水銀電極, EDTA: エチレンジアミン四酢酸イオン, OAc: 酢酸-酢酸塩緩衝液

コラム 2・2 マーカス理論

1935 年頃に M. Polanyi, M. G. Evans, H. Eyring らが提出した反応速度の理論(遷移状態理論という)によると,還元反応,

$$\text{Ox} + n\text{e}^- \longrightarrow \text{Red}$$

に対する速度定数 k_{red} が次式で与えられる.

$$k_{\text{red}} = f \exp\left(-\frac{\Delta^{\ddagger} G_{\text{red}}^{\ominus}}{RT}\right)$$

ここで,R は気体定数,T は熱力学温度,f は理論的に決まる係数,また $\Delta^{\ddagger} G_{\text{red}}^{\ominus}$ は還元反応の活性化ギブズエネルギーとよばれる量である.

アメリカの物理化学者 R. A. Marcus は,溶液中の均一系電子移動や電極面における不均一系電子移動を理論的に検討して,反応機構が比較的単純な電極反応の還元方向に対する活性化ギブズエネルギーが次式で与えられることを示した.

$$\Delta^{\ddagger} G_{\text{red}}^{\ominus} = \frac{w_{\text{R}} + w_{\text{P}}}{2} + \frac{\lambda}{4} + \frac{nF(E - E_{\text{c}}^{\ominus})}{2} + \frac{\{nF(E - E_{\text{c}}^{\ominus}) + w_{\text{P}} - w_{\text{R}}\}^2}{4\lambda}$$

ここで,E は電極電位,$E_{\text{c}}^{\ominus}$ は濃度基準の標準電極電位,また w_{R},w_{P} および λ は反応に関与する物質を拡散二重層のすぐ外側の溶液中から電極面に運び込み,さらに活性化状態まで到達させるのに必要なエネルギーに関する項である.

現在,移動係数 α は,速度定数の電極電位依存性を表す量としてつぎのように定義することができる.たとえば,還元方向に対する移動係数 α_{c} については,

$$\alpha_{\text{c}} = -\frac{RT}{nF}\frac{1}{k_{\text{red}}}\left(\frac{\partial k_{\text{red}}}{\partial E}\right)_{T,p}$$

のようになる.酸化方向に対する移動係数についても同様である.マーカス理論によれば,このように定義した移動係数は一般に電極電位の関数になることが期待されるが,それを支持すると思われる実験結果も報告されている.

電極反応に関与する反応物質の構造が,電子移動に際してさほど変化しないと考えられるような比較的単純な場合には,マーカス理論が代表する取扱いが基本的には妥当であると思われる.Marcus は,"溶液中の電子移動反応の速度論に関する研究"に対して 1992 年度ノーベル化学賞を受賞した〔たとえば D. F. Shriver, P. W. Atkins, C. H. Langford 著,玉虫伶太,佐藤弦,垣花真人 訳,"シュライバー無機化学(下)",§15・12,p. 1123,東京化学同人(1996)を参照〕.

電流-電位曲線と過電圧

電極反応($2\cdot1$)によって流れる電流を表す($2\cdot15$)式に($2\cdot22$)式および($2\cdot23$)式を代入し,さらに($2\cdot28$)式で与えられる交換電流 I_0 で割って整理すると,電流と電極電位との関係(電流-電位曲線)を表す基本式が導かれる.

$$\frac{I}{I_0} = \frac{[\text{Red}]}{[\text{Red}]^\circ} \exp\left(\frac{\alpha_a nF\eta}{RT}\right) - \frac{[\text{Ox}]}{[\text{Ox}]^\circ} \exp\left(-\frac{\alpha_c nF\eta}{RT}\right) \quad (2\cdot34)$$

ただし,

$$\eta = E - E_e \quad (2\cdot35)$$

ここで,η は電流 I が流れているときの電極電位 E と平衡電極電位 E_e との差で,これを電流 I に対する**過電圧**(overvoltage)という.電極電位 E や平衡電極電位 E_e の値は,それらの測定に用いた基準電極の種類に依存するが,過電圧の値は基準電極にはよらないのが特徴である.

ここで,($2\cdot34$)式に基づいてターフェル式($2\cdot17$)に相当する関係を導いてみよう.まず,特別な条件として$[\text{Red}]/[\text{Red}]^\circ \approx 1$ および$[\text{Ox}]/[\text{Ox}]^\circ \approx 1$ の関係が成立する場合を考える.電極反応がごくわずかしか進行していないとき,すなわち,電流の絶対値がきわめて小さいときまたは電極反応を開始した直後には上記の関係が近似的に満足されているとみなしてよい(表$2\cdot2$参照).この条件下では($2\cdot34$)式をつぎのように書くことができる.

$$\frac{I}{I_0} = \exp\left(\frac{\alpha_a nF\eta}{RT}\right) - \exp\left(-\frac{\alpha_c nF\eta}{RT}\right) \quad (2\cdot36)$$

つぎに,正の過電圧が十分に大きいとき($\eta \gg 0$)には上式右辺の第二項を第一項に対して無視できるから,

$$\frac{I_a}{I_0} = \exp\left(\frac{\alpha_a nF\eta}{RT}\right) \quad (2\cdot37)$$

また,負の過電圧が十分に大きいとき($\eta \ll 0$)には第一項を第二項に対して無視できるから,

$$\frac{I_c}{I_0} = -\exp\left(-\frac{\alpha_c nF\eta}{RT}\right) \quad (2\cdot38)$$

の近似式が成立する．これらはターフェル式と同じ形をしており，両者の比較からターフェル式の定数 a および b に対して理論的な根拠を与えることができる．

拡 散 電 流

電極面で電極反応が進行すると，反応関与物質の電極面濃度は時間の経過とともに変化する（表 2・2 参照）．仮に，電極反応が全体として酸化方向に進行する条件下では，還元体の電極面濃度は次第に減少し，逆に酸化体の電極面濃度は増大する．このような電極面濃度の変化に応じて，減少した物質を補給し，増加した物質を取去るような過程が起こるであろう．その代表的なものは，電極面と溶液相内部との間に生じた濃度差による拡散である．

電極反応の速度定数は電極電位の指数関数であるのに対して，拡散のような物質移動の速度定数は電極電位には無関係に一定であるのが普通である．そこで，たとえば，還元体 Red が電極反応で酸化される場合，電極電位がある程度以上正になると酸化速度定数が著しく大きくなって，Red は電極面に到達するや否やただちに酸化されてしまうような状況が出現する．このとき電極面における Red の定常的な濃度は近似的にゼロになり，酸化反応の速度は Red が電極面に供給される速度で決まるようになる．このような条件下での電流は，電極電位をさらに正にしても増大することはなく，ある極限値に到達する．この極限値を**限界電流**(limiting current)，特に電極反応物質が拡散過程で電極面に供給される場合のものを拡散支配の限界電流，略して**拡散電流**(diffusion current)という．

一般に，ある物質に関する濃度勾配が存在して，その物質の拡散が起こる領域は**拡散層**(diffusion layer)とよばれている．拡散電流は，電極反応物質の拡散係数と電極面における濃度勾配とに比例するが，後者は拡散層の構造で変化する．拡散層の構造は，拡散の起こり方に応じてさまざまであるが，ここでは電極およびそれに接している溶液相が完全に静止している場合を取上げる．この条件下での拡散層は，電極反応開始後の時間とともに溶液相内部に向かって伸びていくので，電極面における濃度勾配は時間経過に伴って小さくなる（図 2・3）．**フィックの法則**(Fick's law)として知られている拡散の法則（コラム 2・3 参照）に基づいて，電極面での濃度勾配の時間変化を解析すると，平面電極における拡散電流 I_d の絶対値に対して次式が導かれる．

$$|I_\mathrm{d}| = nFSDc^\circ (\pi Dt)^{-1/2} \qquad (2 \cdot 39)$$

ここで，n は電極反応の電子数，F はファラデー定数，S は電極表面積，D は反応物質の拡散係数，$c°$ は反応物質の溶液相内部の濃度，$π$ は円周率，t は電極反応開始後の時間である．これを拡散電流に関する**コットレル式**(Cottrell equation)という．球状電極での拡散電流の場合には，(2・39)式の右辺に時間には無関係な定数項が付く．これらの関係から明らかなように，拡散電流は $t^{-1/2}$ に対して直線関係を示し，それが拡散に支配される電流の特徴である(図2・14，p. 68 参照)．

　反応物質を電極面に供給する過程が何であるかによって，限界電流にはさまざまな種類がある．それらはいずれも供給過程の速度を反映し，電極反応物質の溶液相内部における濃度に比例することが多いので，供給過程の速度論的な解析や電極反応物質の定量に利用される．

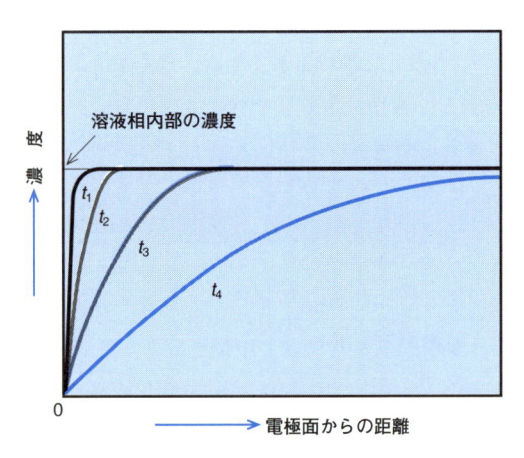

図2・3　拡散層内部における濃度勾配の時間変化(模式図)．
電極反応開始後の経過時間 ($t_1 < t_2 < t_3 < t_4$)

2・3　電気二重層と電極反応機構

　電極反応は，電子伝導体である電極(通常は金属)相とイオン伝導体である電解質溶液相との界面近傍で起こる不均一反応であるから，その機構や速度は電極/溶液界面の構造と密接な関係をもっている．そこで，まず電極/電解質溶液界面の構造とその電気的な性質とを簡単に検討し，つぎに，そのような場の中で電子の授受とそれに付随するさまざまな現象がどのように起こるかについて述べる．

コラム 2・3 フィックの法則

物質 B が x 軸方向に濃度勾配をもつとき,x 軸にそって B の拡散が起こる.x 軸上の位置 x において x 軸に垂直な面 aa を,拡散によって単位時間,単位断面積当たりに通過する物質 B の物質量 $J_B(x, t)$,および位置 x における物質量濃度 $c_B(x, t)$ の時間変化 $\partial c_B(x, t)/\partial t$ はそれぞれ次式で与えられる.($J_B(x, t)$ および $c_B(x, t)$ は,これらの量が位置 x のみならず時間 t の関数であることを表している.)

$$J_B(x, t) = -D_B \frac{\partial c_B(x, t)}{\partial x} \tag{1}$$

および

$$\frac{\partial c_B(x, t)}{\partial t} = \frac{\partial}{\partial x}\left(D_B \frac{\partial c_B(x, t)}{\partial x}\right) \tag{2}$$

ここで,D_B は比例係数で,これを物質 B の拡散係数という.(1)の関係はフィックの第一法則,(2)の関係はフィックの第二法則とよばれている.拡散係数 D_B が位置 x には無関係に一定とみなすことができる場合には,(2)がつぎのように簡単になる.

$$\frac{\partial c_B(x, t)}{\partial t} = D_B \frac{\partial^2 c_B(x, t)}{\partial x^2}$$

以上は 1 次元の拡散(線拡散)についてのものであるが,この法則は 3 次元の拡散にも容易に拡張できる.

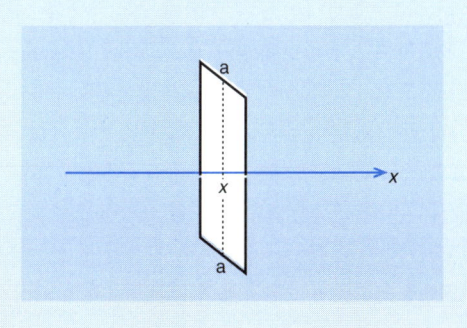

電極/溶液界面の構造: 電気二重層のモデル

電極/溶液界面のように組成の異なる二つの相の接触界面の性質は,電極反応と

の関連のみならず，コロイド粒子の安定性などを論ずる際にもきわめて重要な役割を演ずる．しかし，その理論的および実験的解析の詳細は本書の範囲を超えるので，ここではごく基本的な問題を簡単に説明する（詳しくは参考書1～4を参照）．

電極Mを電解質溶液S中に挿入した系M｜Sを取上げる．溶液S中の分子やイオンの中で電極Mの表面に接しているものは，Mとの間に相互作用が働くために，溶液相の内部に存在するものとは異なる分布をとるであろう．一例として，水銀と塩化ナトリウム水溶液との界面を考えよう．塩化物イオンは水銀に吸着しやすいので，水銀の表面には塩化物イオンがナトリウムイオンよりも余計に集まって，界面の溶液側では負の電荷が過剰になる．そこで，界面全体としての電気的中性を保つためには，水銀側の表面では正電荷が過剰になって（電子の不足層ができて），反対符号の電荷が界面を挟んで対峙する形になるであろう．ここで，水銀相と塩化ナトリウム水溶液相との間に外部から電圧を加えて，水銀相と溶液相との間の電位差，すなわち水銀電極の電極電位を強制的に変化させてみよう．溶液相に比べて水銀相の電位を負にしていくと，水銀相表面における正電荷の過剰量（電子の不足）が次第に減少し，やがて水銀相表面では負の電荷が過剰になる．このような状態になると，溶液相中の塩化物イオンと電極面との間には静電的な反発力が働き，塩化物イオンの代わりにナトリウムイオンが電極面に引き付けられて，界面を挟んで溶液側には正電荷，電極側には負電荷が対峙する形になるであろう．異種の相が接触する界面では，ここに述べたような電荷の分離が一般に起こると考えられる．界面を挟んで電荷が対峙する層を**電気二重層**(electrical double layer)という．

電気二重層の最初のモデルは19世紀の半ばにドイツの物理学者H. L. F. von Helmholtzが提出した**ヘルムホルツ固定層**(Helmholtz compact layer)モデルである．彼は，電極相表面における過剰電荷と，溶液側でそれをちょうど打ち消すだけの反対符号のイオンとが，あたかも平板コンデンサーのように，界面を挟んで一定の距離で対峙すると考えた．その後20世紀に入ると，溶液側の過剰電荷は，Helmholtzが考えたように特定の位置に固定されているのではなく，反対符号の電荷間に働く静電的な引力と，溶液相中でイオンが自由に拡散しようとする熱運動との兼ね合いで決まる分布則に従って電極面から溶液相内部に向かって連続的に分布すると考えるモデルが発表された．これをグイ-チャップマンの**拡散二重層**(diffuse double layer)モデルという．拡散二重層もヘルムホルツ固定層と同様，電気的には一種のコンデンサーのような挙動を示すと考えられる．しかし，ヘルムホルツモデルも拡散二重層モデルも，いずれか一方だけでは，実験で得られる二重層の性質

2・3 電気二重層と電極反応機構

を十分に説明することはできない．現在，電気二重層全体は，電極面に最も近い溶液側にあるヘルムホルツ固定層と，その外側に広がる拡散二重層とからできていると考えられている．これをシュテルンのモデルという．単純化した電気二重層モデルを図 2・4 に示す．

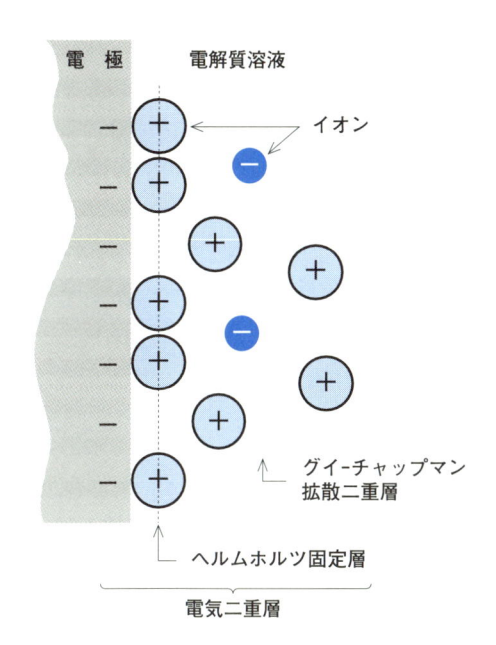

図 2・4 電気二重層のモデル（概念図）

電極/溶液界面を通して電荷の移動が起こらない場合には，電極相と溶液相との間の電位差，すなわち電極電位を保持しているのは，電気二重層中における電荷の分布である．この条件下では，定常的な電流を流すことなく，電極電位を任意に変えることができる．この状態を電極の分極状態といい，電極/溶液界面は電気的なコンデンサーに類似の性質を示す．電極電位がある値に到達して，界面に存在する物質への電子授受が起こるようになると，界面を通して電荷が移動し，電極反応が進行する．電荷が界面を通過しうるときの電気二重層の電気的性質を表すには，簡単なコンデンサーモデルでは不十分で，抵抗とコンデンサーとの組合わせから成るインピーダンスモデルを使う必要がある．電極/溶液界面の電気的インピーダンスを測定して電極反応機構を解析することができるが，その詳細は省略する．（詳しくは参考書 3 を参照されたい．）

電気毛管曲線と電気二重層容量

電極相と電解質溶液相が接触しているとき，その界面に関する種々の物理量の間には**ギブズの等温吸着式**(Gibbs adsorption isotherm)とよばれる関係，

$$-d\gamma = \sigma dE + RT \sum \Gamma_i d\ln\frac{c_i}{c^\ominus} \qquad (2\cdot 40)$$

が成立する．ここで，γ は界面張力(SI 単位は $N\,m^{-1}$)，σ は電極相の表面電荷密度(SI 単位は $C\,m^{-2}$)，E は電極電位，R は気体定数，T は熱力学温度である．また，右辺の第二項は系内に含まれるすべての化学種 i に関する項で，c_i は i の濃度，$c^\ominus$ は濃度の基準値($c^\ominus = 1\,mol\,dm^{-3}$)，$\Gamma_i$ は i の表面過剰濃度(SI 単位は $mol\,m^{-2}$)，Σ は i についての総和を表す．(厳密には $c_i/c^\ominus$ を i の活量で置き換える.) 表面過剰濃度というのは，相の内部に比べて界面に余分に存在する i の物質量(内部よりも多ければ正，少なければ負)を界面の面積で割ったものである．

ここで，系の組成が一定〔$d\ln(c_i/c^\ominus) = 0$〕の場合を考えると，$(2\cdot 40)$式からつぎの関係が導かれる．

$$-d\gamma = \sigma dE$$

したがって，

$$-\frac{d\gamma}{dE} = \sigma \qquad (2\cdot 41)$$

となる．

水銀電極を用いると容易にその界面張力を測定できる．たとえば，ガラス毛細管の先端から水銀が滴下する滴下水銀電極(コラム 1・4 参照)では，その滴下時間が水銀/電解質溶液界面の界面張力に比例する．その界面張力は，表面電荷密度に依存し，その絶対値が高くなるほど電荷の反発力により低下する．滴下水銀電極の電極電位を変化させて界面張力(滴下時間)を測定すると，図 2・5(a)のような放物線状の曲線が得られる．このような界面張力と電位の関係を**電気毛管曲線** (electrocapillary curve)という．また$(2\cdot 41)$式によれば，各電極電位における電気毛管曲線の傾斜は，その電極電位での表面電荷密度 σ の符号を変えたものに等しい．したがって，電気毛管曲線が極大になる電極電位では電極の表面電荷密度がゼロ，それより正の電位では電極面が正の電荷を，負の電位では負の電荷をもつことがわかる(図 2・5(b))．電気毛管曲線が極大を示す電位 E_{pzc} を，電気毛管極大

2・3 電気二重層と電極反応機構

またはゼロ電荷電位という．

つぎに，(2・41)式の両辺を電極電位で微分することにより，

$$-\frac{d^2\gamma}{dE^2} = \frac{d\sigma}{dE} = C_d \qquad (2\cdot42)$$

の関係が得られる．C_d は表面電荷密度 σ の電位微分であることから，単位面積当たりの静電容量に等しく，これを電気二重層の微分容量という．この結果は，電気二重層の電気的性質がコンデンサー類似のものであることに対応する．微分容量の測定値は，図 2・5(c)のように電極電位に依存し，電位によって電気二重層構造が変化することを示している．

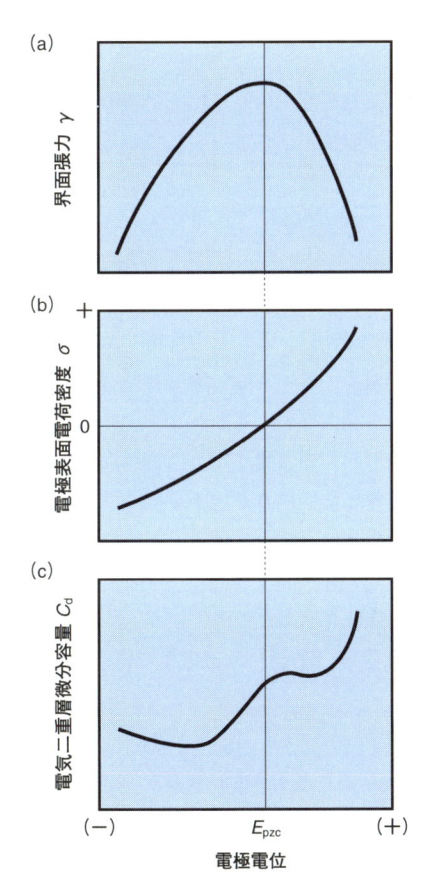

図 2・5 界面張力 γ，表面電荷密度 σ，二重層微分容量 C_d と電極電位との関係(概念図)．E_{pzc}: ゼロ電荷電位

最後に，ギブズの等温吸着式(2・40)によれば，電極電位一定の条件下で界面張力の組成依存性を測定すれば，その物質の表面過剰濃度 Γ_i すなわち吸着量についての解析を行うことができるが，その詳細については参考書 3 および 4 を参照されたい．

電子授受に付随する現象

電極反応の主体は電極面における電子移動(酸化還元)であるが，それに付随して種々の化学的および物理的な過程が進行するのが普通である．たとえば，何らかの物質移動過程によって溶液内部から電極表面に到達した反応物質が電極との間で電子の授受を行うのに先立って，その化学種を取囲む溶媒分子やイオン雰囲気(§4・3)の再配向，電極面への吸着，反応物質内の化学結合状態の部分的変化などが起こる可能性がある．

最も簡単な電極反応と考えられるのは，電子移動の際に反応物質の化学結合の破壊・生成が伴わない場合である．溶液内で置換不活性といわれている錯イオンの電極反応，たとえば，

$$MnO_4^- + e^-(Pt) \longrightarrow MnO_4^{2-} + (Pt)$$
$$[Fe(CN)_6]^{3-} + e^-(Pt) \longrightarrow [Fe(CN)_6]^{4-} + (Pt)$$
$$[Ru(NH_3)_6]^{3+} + e^-(Pt) \longrightarrow [Ru(NH_3)_6]^{2+} + (Pt)$$

がその例である[e^-(Pt)は白金電極の電子を表す]．これらの反応では，反応に関与するイオンの配位子置換速度がきわめて遅く，電子移動に際して結合に伸び縮み程度の変化は起こっても，結合が切れるには至らないと思われる．

これに対して，溶液内で置換活性といわれている錯イオンの電極反応では，電子移動の前または後に，反応物質の一部解離または結合が起こる可能性がある．一例として，過剰のシアン化カリウム水溶液中のカドミウムイオンが水銀電極で還元される場合を取上げよう．この溶液中で安定に存在するカドミウムのイオン種はおもに $[Cd(CN)_4]^{2-}$ であり，また還元生成物はカドミウムアマルガムであるから，この電極反応は全体としては次式で表される[e^-(Hg)は水銀電極の電子，Cd-Hg はカドミウムアマルガム]．

$$[Cd(CN)_4]^{2-} + 2e^-(Hg) \longrightarrow Cd\text{-}Hg + 4CN^-$$

しかし，今までの研究結果によると，実際に直接電子を受け取るものは $[Cd(CN)_4]^{2-}$ ではなく，電極面でまずこのイオン種が解離して $[Cd(CN)_3]^-$ となり，それが電子の授受に関与すると考えられている．したがって，この場合の電極反応は少なくと

もつぎの二つの過程から成り立っていることになる．
$$[Cd(CN)_4]^{2-} \longrightarrow [Cd(CN)_3]^- + CN^-$$
$$[Cd(CN)_3]^- + 2e^-(Hg) \longrightarrow Cd\text{-}Hg + 3CN^-$$
また，酸性水溶液中の水素イオンが金属電極 M で還元される電極反応，
$$2H^+ + 2e^- \longrightarrow H_2$$
は，つぎのような過程((i), (ii) または (i), (iii))で進行することが知られている．

$$H^+ + e^-(M) \longrightarrow H(M) \tag{i}$$
$$H^+ + e^-(M) + H(M) \longrightarrow H_2 \tag{ii}$$
$$H(M) + H(M) \longrightarrow H_2 \tag{iii}$$

ここで，$e^-(M)$ は電極中の電子，$H(M)$ は電極面に吸着した水素原子を表す．反応 (i) および (ii) はいずれも電子移動過程，最後の過程 (iii) は吸着した水素原子同士の再結合反応である．電気化学的な水素発生反応の反応速度と，電極の金属 M への水素原子の吸着エンタルピーとの関係を調べると，それらの金属が二つのグループに大別されることが報告されている．すなわち，水銀，鉛，カドミウム，インジウム，ガリウムでは，反応速度が全体的に遅く，吸着エンタルピーが減少する(発熱量が増大する)につれて標準速度定数が大きくなるのに対し，パラジウム，白金，金，銀，その他の遷移金属などでは，標準速度定数が比較的大きく，吸着エンタルピーとの関係が逆転する．金属の種類によるこの相違は，(i)～(iii) の三つの過程のうちで，どれが全体の反応速度を支配するかの違いによるものと解釈することができる．

電子が移動する過程それ自身は，原子核の位置の変化，配位子などの結合距離の変化，溶媒和分子の配向やイオン雰囲気の変化などに比べるとかなり速い現象である(表 2・4)．したがって，表 2・3 に示したように電極反応の標準速度定数が反応

表 2・4 種々の現象の時間スケール

現象	時間スケール(秒)
電子移動	10^{-16}
配位子結合距離の変化	10^{-14}
溶媒双極子の再配向	10^{-11}
イオン雰囲気の再配向	10^{-8}

によって大きく異なるのは，直接の電子移動に付随する過程の種類やその起こりやすさの相違を反映すると考えられる．

コラム 2・4　電極/溶液界面を探る

　電気化学反応は電極の表面で起こる．したがって，電極の表面状態(形状や組成，結晶構造，吸着現象，吸着物質や不純物の存在など)が重要な役割を果たす．従来，電極/溶液界面の様子を探るには，電極電位と電流の関係や電気二重層の容量を測るなど，どちらかといえば古典的な電気化学の測定法以外に有効な手立てがなかった．しかし，1960年代以降，古典的な分光法の改良や各種の表面解析法の開発が行われ，それらを電気化学的な手法と組合わせて電極/溶液界面を調べる研究が盛んになってきた．ここでは，そのような研究に使われる代表的な方法を紹介する．

　固体(電極)の表面を微視的に観察する手段には，よく知られている電子顕微鏡のほかに，元素組成分析に役立つ二次イオン質量分析法(SIMS)，化学結合状態も含めた組成解析ができるX線光電子分光(XPSまたはESCA)やオージェ電子分光，表面の原子配列の解析に有効な低速電子回折(LEED)などの方法があり，それらを利用して表面状態と電極特性の関係についても多くの研究成果が得られている．ところで，これらの表面解析手法は，いずれも試料を真空中に置いて測定を行うものである関係上，溶液中における電極の表面状態や，電気分解が進行中の電極面状態を調べることには用いられない．その点，1983年にG. M. BinningとH. Rohrerが発明した走査型トンネル顕微鏡(scanning tunneling microscope; STM)で代表される固体表面極微細形状測定法は，溶液中でも固体表面の測定が可能なので，実際に電極反応が進行中の電極表面の様子を調べるのに適している．

　STMでは，微小な探針を原子オーダーの距離まで固体試料表面に近づけるとトンネル電流が流れる現象を利用している．このトンネル電流の流れはじめる位置を検出しながら，探針を平面的に走査することにより，探針の位置の変化を試料の表面形状の変化として観測する．この方法によって，金の電解析出時に，金の結晶面の段差位置に金原子が配列する様子などが捉えられている．STMに類似な測定方法に，原子間力顕微鏡(atomic force microscope; AFM)がある．AFMは，微小な探針の先端が固体原子に接近するときに現れる原子間力(斥力や引力)を検出し，その探針の位置変化から，試料表面の原子オーダーの 凹凸 を観測するものである．

　紫外，可視，赤外光の吸収スペクトル法および反射スペクトル法やラマン分光など各種の分光法も，電極/溶液界面の解析に役立っている．特に，電極反応が実際に進行している条件下で，反応関与物質を分光法で観測することは，電極反応の機構を知るうえで有益な情報源となる．電極反応で生じる物質を分光法を用いて検出しようとする場合の問題点は，限られた反応時間内に生ずる物質の変化は電極近傍のごく薄い溶液層内のみに限定されることである．そこで，2枚のガラス板の間に細い金線などの

2・3 電気二重層と電極反応機構

網目状電極を挟んで,その隙間に電解液を満たし,網目状電極と外部の溶液相中の電極との間に電圧を加え,隙間内の物質を電気分解しながらガラス板を透過した光を分光する.その結果,種々の金属錯体などの酸化還元によるスペクトルの変化から,どのような電位で,どのような反応が進むかが観測される.網目状電極をガラス板で挟む代わりに,光透過性の導電体皮膜(酸化インジウム-スズ薄膜など)を着けたガラス板電極(光透過性電極)を用いれば,その電極表面における物質の変化を観測することができる.この場合には,溶液相内部の物質による光吸収の影響を避けるために,電解液と接している電極の裏側から浅い角度で光を当て,反射光を分光する方法がとられる.これにより電極面への吸着分子や,皮膜生成物などを検出することができる.また,電極面にレーザー光を照射し,そこで生じるラマン散乱光を分光する方法も有効である.銀電極上のピリジンやシアン化合物の共鳴ラマン散乱分光の測定により,それらの吸着状態についての詳細が調べられている.(詳しくは参考書 9 ～ 11 を参照されたい.)

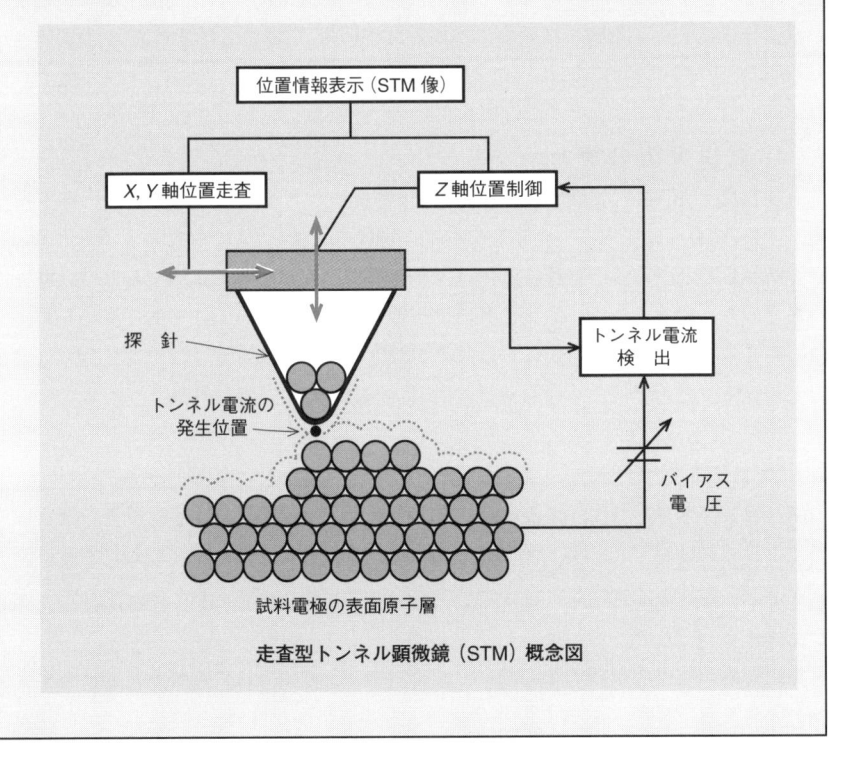

走査型トンネル顕微鏡(STM)概念図

電極反応は電極と溶液との接触界面の近傍で起こる不均一反応であるから，その機構や速度は電気二重層の構造によって大きな影響を受けることが多い．たとえば，先に述べた水素発生反応の速度は電極の材質や表面状態によって著しく異なる．また，水銀電極による亜鉛イオンやインジウムイオンの還元はハロゲン化物イオンが共存することによって加速される．これは，水銀電極表面に特異的に吸着したハロゲン化物イオンがこれらの反応に対する触媒として作用するためと解釈される．これに対して，ある種の界面活性物質(たとえばポリエチレングリコールなど)は多くの電極反応の速度を遅くすることがわかっている．これは，電極面に吸着した界面活性物質が電極反応に対して触媒毒のように働くためと考えられる．

このように電気二重層の構造に敏感な電極反応の特性を利用して，電極面を物理的または化学的に処理した**修飾電極**(modified electrode)や半導体電極などを使って特定の反応を選択的に進行させる研究が近年盛んになってきた．このような問題に関連して，よりミクロな観点から電気二重層の構造や電極触媒機構を調べることが電気化学における重要な課題の一つになっている．(詳しくは参考書6を参照されたい.)

2・4 電極反応の解析

電極反応の基本的な解析法は，通常の化学反応と同じように，その反応速度が種々の条件(温度，圧力，共存物質の種類，触媒の有無など)でどのように変化するかを調べることである．電極反応には，その反応速度が電流に比例するという特徴があるから，種々の条件が電流に及ぼす影響を調べればよいわけである．多くの条件の中で電極反応に特有な影響を及ぼすのは電極電位である．ここでは，おもに電流と電極電位との関係，すなわち電流-電位曲線の測定と解析について述べる．

ボルタンメトリー

ボルタンメトリー(voltammetry)とは，電気化学的現象における電圧または電極電位と電流の関係(電流-電圧曲線または電流-電位曲線)を測定する方法一般をいう．通常，電極電位を時間とともに一定の速さで変化させ，そのときに流れる電流を記録する．

測定装置の代表的な構成を図2・6(a)に示す．3電極方式の電解系(Cell)をポテンシオスタット(PS)に接続し，ポテンシオスタットへ電位掃引装置(SG)から掃引信号電圧(E_{in})を加えると，作用電極(WE)の電極電位 E [基準電極(RE)に対する

値〕が常に E_{in} に等しくなるように制御することができる．この電位掃引に伴って作用電極を流れる電流 I と電極電位の信号（V_I および V_E）がポテンシオスタットから出力され，X-Y レコーダーやパーソナルコンピューターで記録・表示される．

電極反応に伴って流れる電流は，電極電位を一定に保っていても時間的に変動する．しかし，電位を一定速度で変化させながら電流を測るようにすれば，電流と電位の関係を一定の時間的条件のもとで測定できるので，比較的再現性のよい電流-電位曲線を得ることができて，結果の定量的な比較や解析が容易になる．ボルタンメトリーでは，電位掃引様式，掃引速度，掃引開始電位，掃引範囲，掃引方向などの測定条件を変えることによって，性質の異なる情報を得ることができる．

最も簡単な電位掃引様式は，電位を図 2・6(b)のように最初の値 E_i から最後の値 E_f まで一定の速度で直線的に変化させるもので，これを線形掃引ボルタンメト

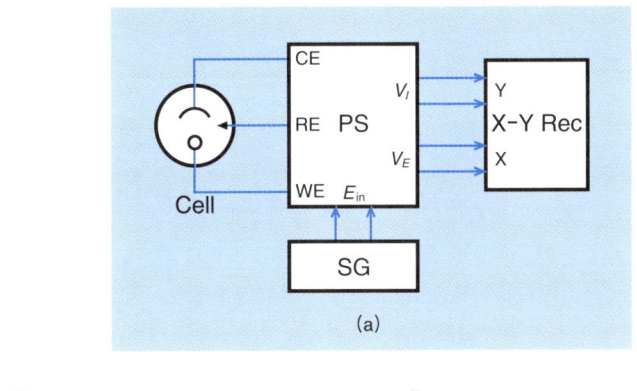

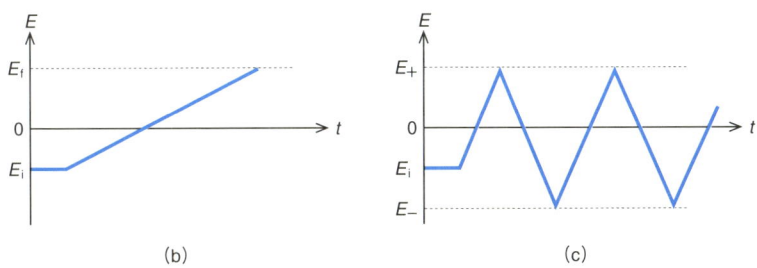

図 2・6 ボルタンメトリー装置．(a) 測定装置の構成．Cell: 3 電極セル（一例として図 1・6 を参照），WE: 作用電極，CE: 対極，RE: 基準電極，PS: ポテンシオスタット，SG: 信号発生器，X-Y Rec: X-Y レコーダー，V_I: 電流信号，V_E: 電位信号．(b) 線形掃引ボルタンメトリーにおける電極電位の時間変化．(c) サイクリックボルタンメトリーにおける電極電位の時間変化

リー(linear sweep voltammetry)という．これに対して，図 2・6(c)のように，電位をまず E_i から E_+ まで一定速度で直線的に変化させ，引き続いて E_+ から掃引方向を逆転して E_- に至る過程を 1 回または数回繰返す掃引様式を用いるボルタンメトリーを**サイクリックボルタンメトリー**(cyclic voltammetry，本書では CV と略記) といい，また，それによって得られる電流-電位曲線をサイクリックボルタモグラム(cyclic voltammogram，本書では CVG と略記)という．ある電位 E_+ で電位掃引方向を逆転することにより，最初の掃引の間に生成した電極反応物質についての情報が得られるなどの特色がある．電位掃引を多数回繰返すと，定常的な電流-電位曲線が得られる場合もあるし，また掃引を繰返すたびに異なる電流-電位曲線になる場合もある．後者の場合には，掃引を繰返す間に電極の性状や反応関与物質の状態が変化する様子を観測することができる．このように，CV は，電極反応における電位的変化と時間的変化を同時に含んだ情報を提供する．このため，理論的解析が複雑である一方，多くの半定量的情報が得られるので，電気化学的現象を総合的あるいは試行的に解析するうえできわめて有効に利用されている．

電極反応が起こらない電位領域のサイクリックボルタモグラム

白金円板状電極(コラム 1・3 参照)を硫酸ナトリウム水溶液中に挿入して CVG を測定してみよう．通常の水溶液には大気から酸素が溶け込んでいるので，まず，溶液に窒素やアルゴンのような不活性ガスを通気することによって溶存酸素を除去しておく．たとえば，電位掃引速度 $0.05~\mathrm{V~s^{-1}}$ で測定すると，図 2・7 の曲線(a)のように，±0.7 V 程度の電位範囲では，わずかな電流しか観測されない．これは，この電位範囲内では，溶液中のナトリウムイオン，硫酸イオン，および溶媒の水のいずれもが電気化学的に不活性で電極反応(酸化または還元)に関与せず，したがって，この電極系はほぼ理想的な分極状態にあることを示している．

理想分極状態の電極系で，電極が正の電荷をもつときにはアニオンが，負の電荷をもつ場合にはカチオンが電極表面の溶液側に並んで電気二重層が形成される．電気二重層は，電気的にはコンデンサーの性質を示す(§2・3 参照)．その電気容量を C，蓄えられる電荷を Q，その間の電位差(電気毛管極大電位に対しての値)を E とすれば，

$$Q = CE \qquad (2 \cdot 43)$$

の関係が成り立つ．この測定例のように電位が時間とともに変化する場合には，

2・4 電極反応の解析

$$\frac{dQ}{dt} = C\frac{dE}{dt}$$

すなわち,

$$I_{ch} = C\frac{dE}{dt} \tag{2・44}$$

の関係に従って電流 I_{ch} が流れることになる．これは，電気二重層形成のための電流で，**充電電流**(charging current)という．実測される CVG では，充電電流以外にも不特定の(不純物などの)電極反応によるとみられる電流が流れる．これらを総称して**残余電流**(residual current)とよぶ．

図 2・7 曲線(a)において 0 V vs. Ag-AgCl-sat. KCl 付近では，おおよそ±50 μA cm^{-2} 程度の残余電流が流れている．これがすべて電気二重層の充電電流であると仮定すれば，電位掃引速度(dE/dt)が ±0.05 V s^{-1} であることから，(2・44) 式により，1000 μF cm^{-2} 程度の電気容量であることになるが，この値は大きすぎ

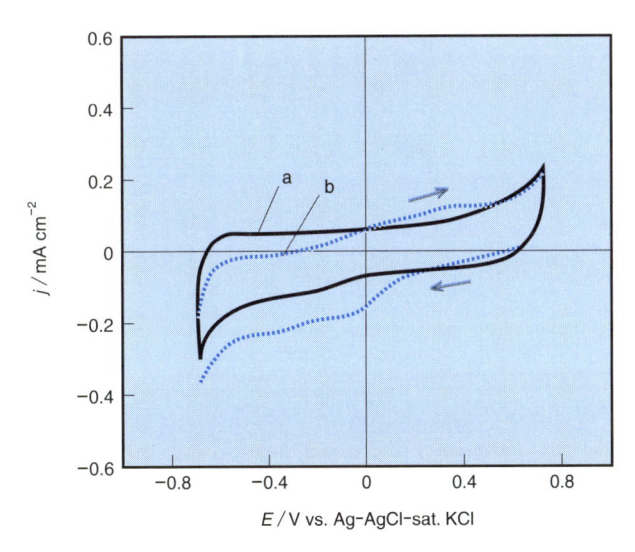

図 2・7 Pt | 0.5 mol dm^{-3} Na$_2$SO$_4$(aq)電極系におけるサイクリックボルタモグラム(電位掃引速度 0.05 V s^{-1}，矢印は電位掃引方向を示す)．(a) 溶液中の溶存酸素を除去した場合(充電電流の例)．(b) 溶存酸素を除去しない場合(酸素の還元の例)

る．その原因は，電極の真の表面積の推定が困難であることや不純物による電解電流の寄与があることなどによると考えられる．このように，CVG から正確な電気二重層容量を求めるのは難しい．二重層容量の精密測定には周波数が数 kHz 程度の交流信号や，パルス幅が数 ms 程度のパルス信号を用いる方法などがよい．（詳しくは参考書 9 を参照されたい.）

溶存酸素の還元

上に述べた硫酸ナトリウム水溶液系の測定において，大気から溶液中に酸素が溶け込んでいる状態での CVG は図 2・7 曲線(b)のようになる．溶存酸素を除去した場合の曲線(a)に比べ，曲線(b)では 0〜−0.5 V vs. Ag-AgCl-sat. KCl 付近で溶存酸素の還元，

$$O_2 + 2H_2O + 2e^- \longrightarrow H_2O_2 + 2OH^-$$

に伴う負の電流の増大が見られる．このように酸素の還元電流が観測されることを利用して，溶液中の酸素や，溶液に接している気体中の酸素濃度を測定することができる．なお，上記の反応の生成物である過酸化水素の還元反応，

$$H_2O_2 + 2e^- \longrightarrow 2OH^-$$

を進行させるには，電位をさらに負にする必要があるが，白金電極では水が還元される電位領域と重なるために，この反応による電流は測定できない(水銀電極では水の還元が起こりにくいため，過酸化水素の還元電流を測定できる)．

溶存酸素の還元に伴う電流は，その他の物質の電極反応挙動を検討するうえでの妨害となる．そのため，溶液に不活性ガス(N_2 や Ar)を通気して溶存酸素を除去してから測定を行うのが普通である．図 1・6 に示した不活性ガス導入口はそのためのものである．

白金電極における銅イオンの還元

硫酸ナトリウム水溶液に硫酸銅を添加し，上記と同様の方法で CVG を測定してみよう．得られた CVG を図 2・8 に示す(破線は硫酸銅を添加しない場合の CVG)．Ag-AgCl-sat. KCl 電極に対して +0.4 V 付近から負方向に電位を掃引すると，0〜−0.4 V の電位領域で銅イオンの還元，

$$Cu^{2+} + 2e^- \longrightarrow Cu$$

に伴う負の電流が見られる．ここで，還元された銅イオンは金属銅となって電極上に析出する．すなわち，白金電極上に銅めっきが施されたことになる．

2・4 電極反応の解析

電位掃引方向を -0.4 V で反転すると，0 V 付近より急激に酸化電流が流れはじめる．これは，白金電極上に析出した銅の酸化溶出（アノード溶解）に対応する．電流が鋭いピークを形成して減少するのは，負方向への電位掃引時に析出した銅が溶

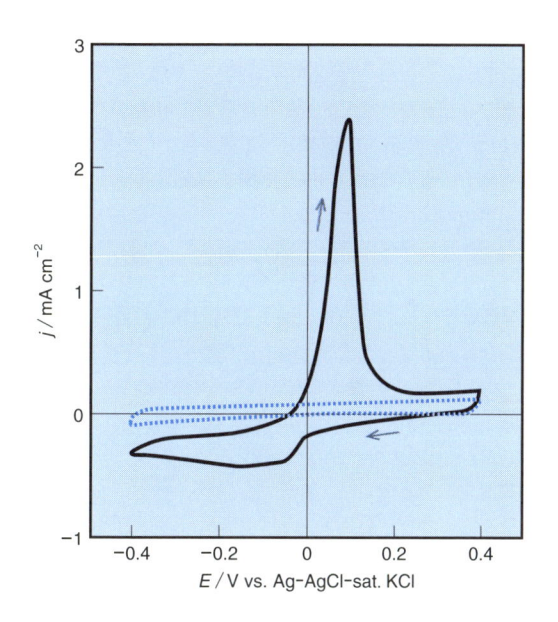

図2・8 Pt｜0.5 mol dm^{-3} Na$_2$SO$_4$(aq) + 4 mmol dm^{-3} CuSO$_4$ 電極系におけるサイクリックボルタモグラム（矢印は電位掃引方向を示す．破線は硫酸銅を添加しない場合の CVG．電位掃引速度 0.05 V s^{-1}）

出し終わるためである．CVG 上に記録された還元電流と酸化電流をそれぞれ時間積分する（CVG 上で横軸を時間軸に換算して面積を求める）と，銅の析出と溶出に要した電気量が求められる．還元時と酸化時の電気量の絶対値はほぼ等しく，CVG 測定時の最初の掃引で析出した銅は，逆掃引時にほぼ完全に溶出することがわかる．図の例では，析出または溶出に際しての電気量は約 5 mC cm^{-2} で，約 2.5×10^{-8} mol cm^{-2}（厚さに直すと 2 nm 程度）の銅が析出後溶出したことになる．

コラム 2・5 ポーラログラフィーとボルタンメトリー

ポーラログラフィーは，1920 年代に，チェコスロバキアの J. Heyrovsky により発表された電気化学的な分析法で，種々の化学物質を定性・定量分析する機器分析の草分けとなった．Heyrovsky はこの発明により，1959 年にノーベル化学賞を受けている．ポーラログラフィーは，作用電極に滴下水銀電極（コラム 1・4 参照）を用い，水銀の滴下を繰返しながら電極電位を掃引して電流を測定・記録する方法で，得られた電流-電位曲線から，電極反応物質の定性・定量分析ができる．

作用電極の電極電位と直流電流の関係を測定する直流ポーラログラフィーを基本として，電極電位に微小の交流電圧を重ね合わせ，各電極電位での交流電流を測定する交流ポーラログラフィー，電極にパルス電圧を加えて，それに伴う電流を測定するパルスポーラログラフィーなどがある．微分パルスポーラログラフィーとよばれている方法はきわめて高感度で，10^{-7} mol dm^{-3} 程度の濃度のカドミウムや鉛などの定量が可能である．しかし，水銀の毒性が問題視されるようになった最近では，滴下水銀電極を用いるポーラログラフィー関連の方法の利用頻度は少なくなった．

作用電極に白金，金，炭素材などを用いて，ポーラログラフィーと同様の原理に従って電流-電位曲線を測定する分析方法（ボルタンメトリー）はきわめて有用である．ただし，固体電極を用いる方法では，ポーラログラフィーに比べ，測定精度や電流値の再現性が低下することから，高感度・高精度分析法としての価値が高いとはいえない．しかし，注目する物質の溶液中での酸化状態などの溶存状態の解析，電極反応にかかわる物質の変化の追跡などにはきわめて有効である．

最近，極微小な電流（たとえば 10^{-12} A 以下）の測定精度が向上するに伴って，きわめて小さな電極を作用電極とする電気化学測定が行われるようになった．極微小電極（ultra-microelectrode）は，直径 1～100 μm 程度の電極で，白金やカーボンファイバーなどの細線をそのまま用いて線状の作用電極とする場合や，それらを先端の細いガラス毛細管内に封入して先端の断面を電極とする場合などがある．

極微小電極にはつぎのような特徴と利用例がある．(1) 生体細胞内や細胞表面などの微小領域に挿入して，限られた部分におけるさまざまな電気化学的現象を調べることができる．たとえば，脳や臓器の内部の局所的な電位信号や反応物質を検出したり，血液から取出した好中球 1 個が作りだす活性酸素（O_2^-）の測定に利用した例などがある．(2) 電極表面積がきわめて小さいので，電極面での電流密度がかなり高い場合でも，電極をとりまく溶液相中を流れる電流そのものはきわめて小さい．したがって，溶液抵抗による電位降下（IR 降下）の影響が少なく，高抵抗溶液（電解質濃度が低い水溶液や非水溶媒系など）中での電極反応の解析などが容易になる．(3) 電気二重層容量がきわめて小さいので充電電流の寄与が少ない．したがって，たとえば超高速電位掃引

2・4 電極反応の解析

(10^4 V s^{-1} 程度まで)のボルタンメトリーが可能で,それを利用して比較的高速の電子授受過程を解析することができる.

最近の電子技術を使えば,フェムトアンペア(1 fA=10^{-15} A)程度の微弱電流の測定も可能である.1 fA の電流というのは,毎秒 10^{-15} C の電荷の移動に対応する.電子1個がもつ電荷の絶対値は電気素量 $e \approx 1.6 \times 10^{-19}$ C であるから,1 fA の電流を測定するということは,毎秒約 6000 個の電子の流れを観察していることにほかならない.仮に,極微小電極に 1 fA の電流を 1 ms だけ流して Cu^{2+} イオンを電解析出させたとすれば,銅の析出量は計算上約 3 原子ということになる.この例からわかるように,現在の電気化学的な電流測定は,原子の数を問題にするところまできているといえる.

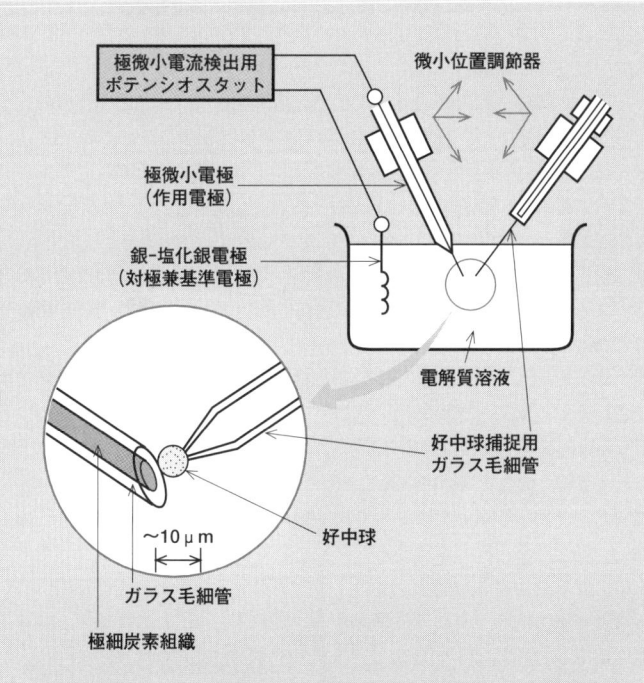

極微小電極を用いる測定系の例.好中球(血液中の細胞)が産生する活性酸素(O_2^-)の酸化電流の測定装置

コラム 2・6 めっき

　美しく金めっきしたネックレスよりも純金のネックレスの方が高価で価値がある. でもめっきは, 母材の優れた性質を活かすとともに, その表面の特性を改良する重要な手段である. 機械的に強い鋼材にクロムめっきをすれば, きれいでさびにくく, 丈夫な材料となる.

　電気化学的なめっきは, 母材金属を電極とし, めっき液 (電解液) 中の金属イオンを電気分解により還元析出させることによって行われる. 原理は簡単であるが, 母材金属とめっきする金属の組合わせによっては実現困難な場合もある. また, 同じ金属でも鏡面にめっきする場合や, 黒色無反射にめっきする場合などさまざまである. 目的に合わせためっきをする場合には, 溶液組成, 温度, 電流密度, めっき物の形状などについて複雑なノウハウと制御が必要とされる. 町工場のめっき屋さんに素晴らしいノウハウがあったりする.

　めっき液の組成は一般に複雑で, 代表的な銅めっきについてさえ, 硫酸銅を主成分とするものや, シアン化物溶液系, リン酸溶液系など多様である. 金, 銀, さらに金-銀, 金-銅などの合金系のめっき液にはおもにシアン化物溶液が多用されている. シアン化物を用いるのは, 溶液中で $[Au(CN)_2]^-$ などの錯イオンが生成するためで, そのような錯イオンからは金属の析出が円滑に起こりやすいからである. 溶液の pH 調整用の添加物(K_2CO_3, K_2HPO_4, クエン酸など)や, 金属イオンの金属面への吸着を調節する界面活性物質など, いろいろな役割の物質を添加して多種多様なめっき液が開発されている.

　なお, めっきには, 電気分解を行わず, 材料表面での触媒的な還元反応により金属を析出させる無電解めっきがある. 銀鏡反応によりガラス表面に銀が析出するのはこの例である. 無電解めっきは絶縁体基板に金属薄膜を形成するのに多用されている.

　めっき液を使うめっき技術は重要であるが, シアン化物や 6 価クロム化合物など毒性の強い溶液が用いられるために, 環境問題が深刻である. この面から, めっき液を用いない, 物理的な表面被膜創成法が開発されている. 真空中で金属を蒸発させて材料表面に付着させる物理蒸着法や, 真空中で金属をイオン化して静電的に材料表面へ照射・被覆する方法, 金属と非金属元素の両者を照射して化合物層を形成する方法など, 化学的および電気化学的なめっきに代わる表面処理技術の利用が増えつつある. (詳しくは参考書 5 を参照されたい.)

鉄(Ⅱ)/鉄(Ⅲ)系の酸化還元

最も代表的な CV 測定例として，溶液中に存在するヘキサシアノ鉄(Ⅱ)酸イオンとヘキサシアノ鉄(Ⅲ)酸イオンとの間の酸化還元挙動が知られている．

4 および 8 mmol dm^{-3} [Fe(CN)$_6$]$^{4-}$ を含む Na$_2$SO$_4$ 水溶液について，白金円板電極(コラム 1・4 参照)を用いて測定した CVG を図 2・9 に示す(測定用 Cell として図 1・6 を参照)．まず，Ag-AgCl-sat. KCl 電極に対して -0.2 V から出発して電位を正方向に掃引すると，$+0.1$ V 付近より酸化電流が流れはじめ，$+0.3$ V 付近のピークを経て電流が減少する．この電流の減少は，電極反応，

$$[\text{Fe(CN)}_6]^{4-} \rightleftarrows [\text{Fe(CN)}_6]^{3-} + \text{e}^- \qquad (2\cdot45)$$

が酸化方向(右向き)に進行するのに伴い，電極付近の [Fe(CN)$_6$]$^{4-}$ の濃度が減少することによる(p.41 の拡散電流の項および図 2・14 を参照)．つぎに，$+0.7$ V で電位掃引方向を反転すると，$+0.3$ V 付近から電流が負に転じ，$+0.2$ V 付近で還元電流のピークが現れる．これは，正方向への電位掃引時に生成して電極面近傍に残っている [Fe(CN)$_6$]$^{3-}$ が (2・45) 式の左向きの反応で還元されるためである．引き続き負方向への電位掃引(時間経過に対応する)に伴い，電極表面の

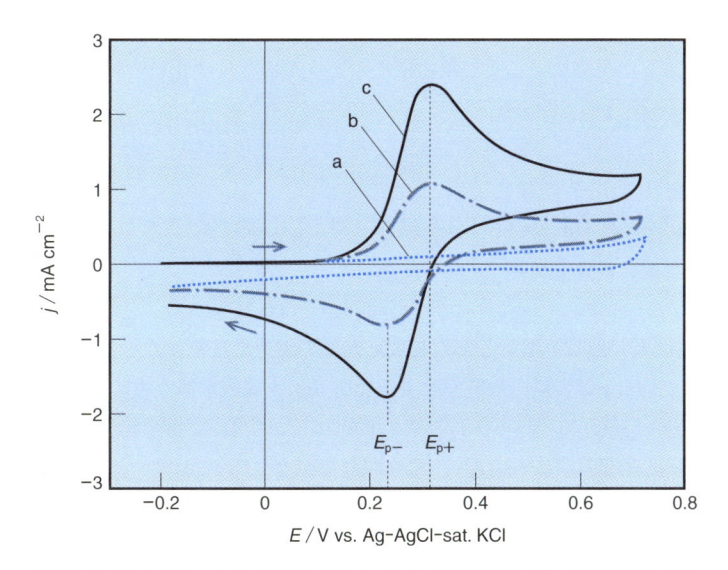

図 2・9　Pt | 0.5 mol dm^{-3} Na$_2$SO$_4$(aq) + [Fe^{Ⅲ}(CN)$_6$]$^{4-}$ 電極系におけるサイクリックボルタモグラム(電位掃引速度 0.05 V s^{-1}，矢印は電位掃引方向を示す)．[Fe^{Ⅱ}(CN)$_6$]$^{4-}$ の濃度：(a) 0, (b) 4 mmol dm^{-3}, (c) 8 mmol dm^{-3}

[Fe(CN)$_6$]$^{3-}$ が消費されて還元電流も減少する．酸化および還元に対応するピーク電流は，いずれも，溶液相内部におけるヘキサシアノ鉄(Ⅱ)酸イオンの濃度にほぼ比例している．

この CVG で，酸化ピークと還元ピークが現れる電位の差($\Delta E_p = E_{p+} - E_{p-}$)は約 80 mV である．これは，電極反応が電気化学的に可逆である場合の理論値 (25 ℃における)，$\Delta E_p = 60$ mV/n〔n は反応電子数; (2・45)式の反応では $n = 1$〕に近く，この反応(2・45)がかなり可逆であることの目安となる．ここで，電気化学的に"可逆(reversible)"な反応とは，酸化還元反応の電子授受がきわめて高速であり，平衡電極電位からのわずかな電位のずれによって，酸化または還元方向に速やかに反応が進むものを指す．このような可逆系では，酸化・還元ピークの中間の電位 $E_{1/2}$〔$= (E_{p+} + E_{p-})/2$〕において，電極表面での酸化体と還元体の濃度が理論的にほぼ等しくなる．したがって，$E_{1/2}$ は近似的にこの反応の標準電極電位(3 章参照)に相当し，CVG から標準電極電位の概略値を推定することができる．図 2・9 の CVG から，反応(2・45)は，その標準電極電位がほぼ +0.26 V vs. Ag-AgCl-sat. KCl の可逆的な電極反応であることがわかる．

電極反応の可逆性が低下するにつれて，理論的には，酸化ピークと還元ピークとの間隔が開いてくる．限られた電位範囲内には，酸化ピークまたは還元ピークのいずれか一方しか現れないことも多い．このような場合には各ピークの電位(E_{p+} や E_{p-}) から標準電極電位を推定することはできない．

水素/水素イオン系の酸化還元

電極反応を速度論的に検討する実験の一例として，白金，パラジウム，ニッケル，および鉛電極における水素イオンの還元反応，

$$2H^+ + 2e^- \longrightarrow H_2$$

による電流-電位曲線を解析して電極反応速度の相違を比較してみよう．

直径 1～3 mm の金属円板電極を 0.5 mol dm^{-3} 硫酸水溶液中に挿入し，水素ガス雰囲気下(溶液が 1 気圧の水素ガスで飽和した状態)で線形掃引ボルタンメトリーを行った結果，得られた電流-電位曲線を図 2・10 に示す．なお，この測定では，電極電位を 5 mV s^{-1} の変化速度で 0 V vs. Ag-AgCl-sat. KCl から負方向へ掃引した．図 2・10 によると，各金属電極における水素イオンの還元は Pt では −0.3 V 付近，Pd, Ni, Pb ではそれぞれ −0.3，−0.4，−0.85 V 付近から進行することがわかる．これは，Pt, Pd＞Ni＞Pb の順で水素イオンが還元されやすく，水素発

2・4 電極反応の解析

生に対する過電圧(水素過電圧)は Pt, Pd で小さく, Pb で大きいことを示している.

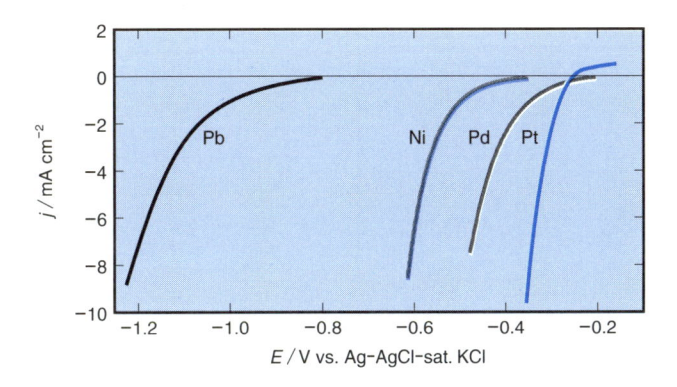

図 2・10 水素／水素イオン系(25 ℃)の電流-電位曲線.
電極系: Pt, Pd, Ni, Pb | 0.5 mol dm^{-3} H$_2$SO$_4$ (aq);
線形掃引ボルタンメトリー, 電位掃引速度 5 mV s^{-1}

各電流-電位曲線について電流密度の絶対値の対数を電極電位(または過電圧)に対してプロット〔これをターフェルプロット(Tafel plot)という〕すると, 図 2・11 のように, Pd, Ni, Pb ではよい直線関係が得られ, ターフェル式(2・17)が成立していることがわかる. この測定例のように, 溶液中の水素イオン濃度が高く, カソード電流が十分に低い条件下では, 電極面での水素イオン濃度を近似的に一定とみなすことができる. また, この溶液における平衡電極電位は約 -0.2 V vs. Ag-AgCl-sat. KCl であるから, いずれの電極の場合も負の過電圧がかなり大きい. したがって, 少なくとも近似的にはバトラー-フォルマーの理論による(2・38)式, または,

$$\eta = -\frac{RT}{\alpha_c nF}(\log_{10}|j/\text{A cm}^{-2}| - \log_{10}|j_0/\text{A cm}^{-2}|)$$

の関係が成立すると考えられるから, ターフェルプロットの勾配より移動係数 α_c を, また直線の $\eta=0$ への補外により交換電流密度 j_0 を求めることができる. その結果は, Pd, Ni, Pb における log($|j_0/\text{A cm}^{-2}|$)が, それぞれ, -4.1, -5.2, -6.8 となり, Pd>Ni>Pb の順で水素イオンの還元速度が速いことを示している. Pd と Ni では直線の勾配が約 120 mV で, $n=1$ とすれば $\alpha_c=0.5$ が得られる. Pt のターフェルプロットでは, この実験条件では直線が得られていない. これは, 反

応の律速段階が電位 (したがって電流密度) により変化するためと考えられているが，水素イオン還元の反応機構の詳細については省略する．また，ここで用いた測

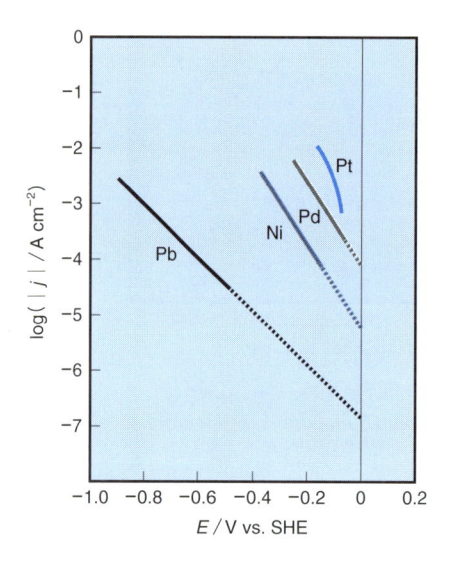

図 2・11　水素/水素イオン系(25 ℃)のターフェルプロット．電極系：Pt, Pd, Ni, Pb | 0.5 mol dm^{-3} H$_2$SO$_4$ (aq)

定法は簡便なもので，電極反応機構や，反応速度定数の定量的研究には，回転電極法や，パルスボルタンメトリーなど，より高度な測定と解析を行う必要がある．(詳しくは参考書 6 および 9 を参照されたい．)

つぎに，電極反応，

$$2H^+ + 2e^- \rightleftarrows H_2$$

を CV で調べた例として，パラジウム電極(Pd)と白金電極(Pt)を用いて 0.1 mol dm^{-3} 硫酸水溶液中で測定した CVG を図 2・12 に示す．Ag-AgCl-sat. KCl 電極に対して +0.7 V から出発して負方向へ電位を掃引すると，いずれの電極でも −0.3 V 付近から急激に水素イオンの還元電流が増大する(A, A′)．Pt に比べ Pd のカソード電流の増大がやや緩やかなのは，電極反応速度の電位依存性の相違を示している(図 2・10 参照)．一方，電位掃引方向を −0.6 V あるいは −0.4 V で反転させた後のアノード電流の様子は Pd と Pt でかなり異なる．Pt では −0.3 V 付近に小さなアノード電流ピーク(B)が見られるのに対し，Pd においては +0.2 V 付近にかなり大きなアノード電流のピーク(B′)が現れる．この相違はつぎのように解釈されている．Pt では，水素イオンの還元により生じた水素が気体として散逸し，一

部電極近傍に残存しているか，または電極面に吸着した水素のみが酸化されるのに対し，Pdでは，生じた水素原子が金属内部にしみ込み(吸蔵され)，それが逆掃引時に電極内部からしみ出しながら電極面で酸化される〔$H(Pd) \rightarrow H^+ + e^-$〕ことによ

コラム2・7　電解工業

　電気化学反応は，さまざまな物質を工業的に製造するのに利用されている．無機化合物の例では，アルミニウムやアルカリ金属などが電解還元で，二酸化マンガンや塩素酸ナトリウムなどが電解酸化で生産されている．また，アクリロニトリルからアジポニトリルを還元二量化で合成するなど，有機化合物の生産にも利用されている．

　電解合成では，電気という高価なエネルギー源を用いることから，いかに無駄の少ない電解系を構築するかが重要である．電解質溶液組成や電極材料を改良し，より低い電圧で多くの電流を流す工夫がいる．反応の過電圧ができるだけ低い(電極反応の活性化エネルギーが小さく交換電流が大きい)系を選び，電極への反応物質の供給を円滑にすることや，電極や電解液中での電気抵抗による電圧降下(オーム損)を少なくする方法が工夫されている．また，反応に際して消耗(酸化溶出など)しにくい電極材料の開発や，カソードとアノードにおける反応生成物が混合しないようにするための隔壁(イオン交換膜など)の改良も重視されている．

　代表的な電解工業に食塩電解工業がある．食塩水の電解により，水酸化ナトリウム，水素，および塩素が生産される．いずれも工業的にきわめて重要な生成物である．食塩水の電解では，カソードで，

$$Na^+ + H_2O + e^- \longrightarrow NaOH + \frac{1}{2}H_2$$

アノードでは，

$$Cl^- \longrightarrow \frac{1}{2}Cl_2 + e^-$$

の反応が起こる．カソード側溶液とアノード側溶液の混合が起きるとNaOHとNaClの混合，およびCl$_2$とNaOHの反応によるNaClOやNaClO$_3$の生成が起こり，良質な水酸化ナトリウムや塩素の生産が妨げられる．かつては，水銀をカソードとする電解によってナトリウムを水銀中にアマルガムとして析出させ，そのアマルガムを電解系外で水と反応させ良質な水酸化ナトリウムを生産した．しかし，水銀の利用が水銀汚染公害を引き起こす原因となるので，現在では，貴金属触媒を含有する高耐久性の金属電極を用い，アノード側とカソード側の電解液をイオン交換膜(Na$^+$のみ透過する膜)で分離する隔膜法(イオン交換膜法)が主流となっている．

る．なお，このような金属内部への水素の浸透・吸蔵現象は，水素を気体以外の状態で貯蔵する方法や，金属内の水素が金属の機械的強度を著しく低下させる現象（水素脆性）との関連において注目されている．

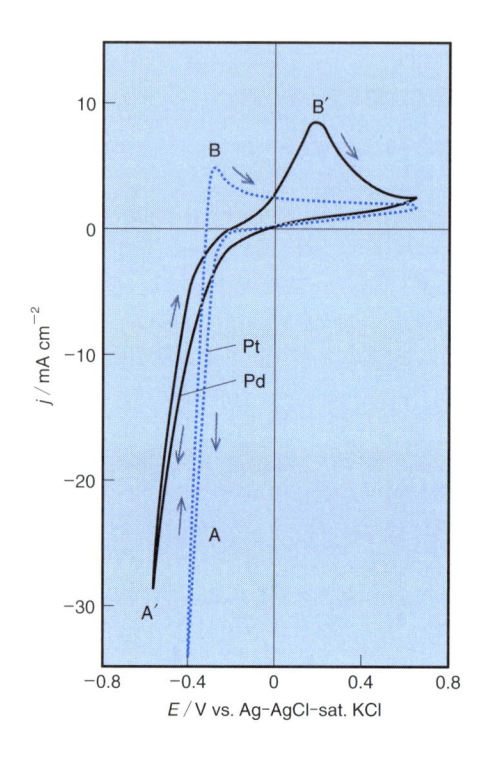

図 2・12　水素/水素イオン系 (25 ℃) のサイクリックボルタモグラム（矢印は電位掃引方向を示す）．電極系：Pt, Pd | 0.1 mol dm^{-3} H$_2$SO$_4$ (aq)

電流-時間曲線の測定

電気化学反応に伴う電流は，電極電位が一定に保たれている条件下でも，反応の進行に伴って時間とともに変化する．その電流と時間との関係を示す電流-時間曲線は反応速度や反応機構の解析に役立つ．電流-時間曲線の測定を**クロノアンペロメトリー**(chronoamperometry)という．ここでは，電極反応の電子授受過程がきわめて速く，電極表面で消費される反応物質が溶液相内部から拡散で供給される過程が律速段階となる場合（p.41 の拡散電流の項参照）の電流-時間曲線の測定と解析の方法に触れる．

電流-時間曲線の測定装置を図 2・13 に示す．電解容器には図 1・6 で示したの

2・4 電極反応の解析

と同様のものを使用し,ポテンシオスタットの入力に E_1 から E_2 へ飛躍する電圧信号を加える.通常,注目する電極反応が起こらない電極電位を E_1,反応が進行する電位を E_2 に選ぶ.この電位飛躍により電極反応を開始させ,その後の電流の時間変化を測定する.目的に応じて 0.1 ms から 100 s 程度の時間帯の測定を行う.

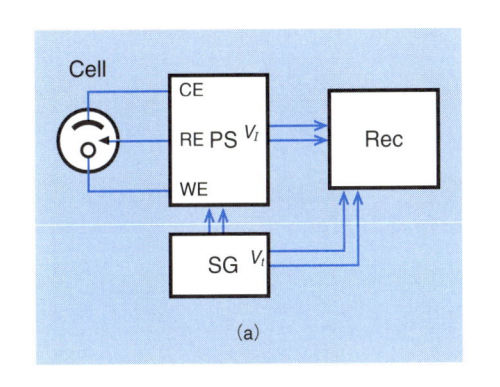

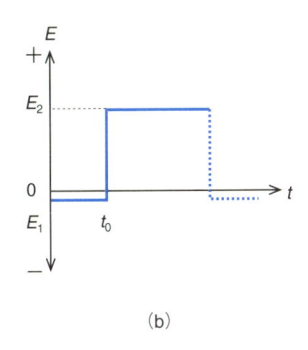

図 2・13 電流-時間曲線の測定.(a) 回路の概念図.Cell: 3 電極セル,PS: ポテンシオスタット,SG: 信号発生器,Rec: X-Y レコーダー(またはペンレコーダー),V_I: 電流信号,V_t: 時間軸信号.(b) 電極電位の時間変化

反応物質の拡散現象に注目する場合には,1~10 s 程度の時間帯の電流-時間曲線をペンレコーダーで記録すればよい.それより短い時間帯の測定にはオシロスコープなどを用いる必要がある.

代表的な電極反応,ヘキサシアノ鉄(Ⅱ)酸イオンの酸化,

$$[\text{Fe(CN)}_6]^{4-} \longrightarrow [\text{Fe(CN)}_6]^{3-} + e^-$$

を白金円板電極を用いて測定した電流-時間曲線を図 2・14(a)に示す.電位飛躍は,初期電位 $E_1=0$ V vs. Ag-AgCl-sat. KCl から $E_2=0.6$ V vs. Ag-AgCl-sat. KCl で,この E_2 では $[\text{Fe(CN)}_6]^{4-}$ の酸化反応が進行する.電位飛躍直後に大きなアノード電流が流れ,時間経過(反応の進行)とともに電流が急速に減少する.

この電流の時間変化は,電極反応によって電極面で消費される反応物質が何らかの過程で補給される状況を反映している.最も代表的な補給過程は,溶液相内部と電極面との間における濃度差による拡散現象である.溶液相内部からの拡散によって電極面に到達した反応物質がただちに電極反応で消費される場合の電流は拡散支配の電流 I_d で,その時間変化はコットレル式(2・39)に従うはずである.

図 2・14(a)の測定結果について，コットレル式の適用性を調べるため，電流と $t^{-1/2}$ の関係をプロットすると，図 2・14(b)に示すように，原点を通るよい直線関係が得られる．したがって，これらの実験条件下(電極電位(E_2)や電極の表面状態など)では，ヘキサシアノ鉄(Ⅱ)酸イオンの酸化が拡散支配の状態で進行するものと解釈される．そこで，コットレル式を用いれば，図 2・14(b)の直線の傾斜から，ヘキサシアノ鉄(Ⅱ)酸イオンの拡散係数が $6.2 \times 10^{-6}\,\mathrm{cm^2\,s^{-1}}$ と算出される．

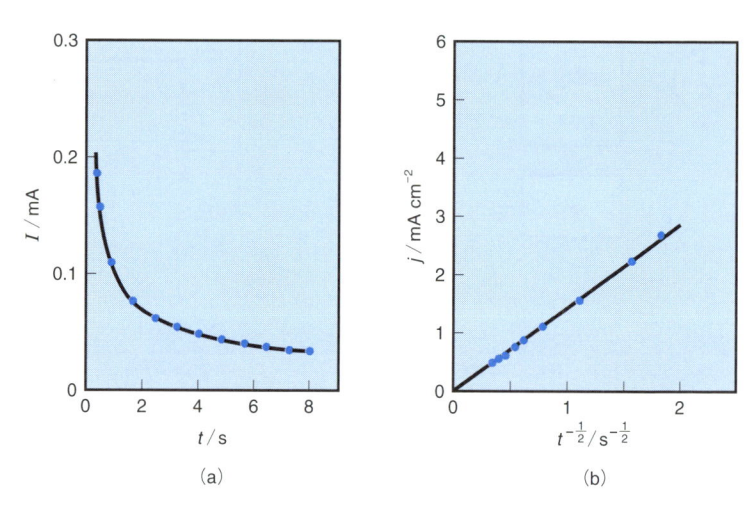

図 2・14　白金円板電極におけるヘキサシアノ鉄(Ⅱ)酸イオンの酸化(25 ℃)による電流-時間曲線(a)とコットレルプロット(b)．$E_1=0$ V vs. Ag-AgCl-sat. KCl；$E_2=0.6$ V vs. Ag-AgCl-sat. KCl

電極表面への反応物質の補給は，溶液相内部の電位勾配に基づくイオンの移動(4 章参照)によっても起こりうるが，反応物質に比べて十分に高濃度の支持電解質が含まれている場合には，溶液相内部の電位勾配がきわめて小さくなるので，それによる補給は事実上無視することができる．このような条件下における反応物質の補給は，おもに濃度勾配に起因する拡散現象によるものと考えてよい．図 2・14 の結果は，この考察が正しいことを示すものである．なお，電極の電荷とイオンとの間に働く相互作用(静電的な引力および斥力)によって，カチオンまたはアニオンが，それぞれ，負または正の電極に引き寄せられて電極反応が起こると考えるのは誤りである．

電極反応のおもな律速段階としては，拡散や電位勾配によるイオンの移動のほか

に，電極面での電子授受それ自身や，電子授受の前後に電極の近傍で起こる化学反応や電極への吸着などが知られている．たとえば，先に取上げた鉛電極やニッケル電極における水素イオンの還元の例では，電極反応の律速段階が電子授受であると考えられる．そのような場合の電流は時間に無関係に一定の値を示すはずである．

コラム2・8 光電気化学

　光のエネルギーを化学反応に役立てることは，天然には植物の光合成として，地球上の生命の根源を担っている．光合成では，水と二酸化炭素を，よりエネルギー状態の高い炭水化物と酸素に変換することが行われている．通常の条件下でひとりでに進行する化学変化は，自由エネルギーの高い状態から低い状態への変化であるが，光エネルギーの吸収によってそれを逆行させることが可能となる．電気化学反応でも，電気エネルギーを注ぎ込むことによって，高い自由エネルギーをもつ生成物を作り出すことができる．では，光エネルギーと電気エネルギーとを組合わせたらどのようなことができるであろうか．

　光電気化学とよばれる分野では，光のエネルギーを電極反応に活かす機構を調べ，それを利用する手段を探求している．これらにかかわる現象にはつぎのようなものがある．

(1) 半導体電極を用い，電極への光照射により，電極表面の電子のエネルギー状態を変化させ(励起し)，それによって電極反応を促進させる．
(2) 光照射による光化学反応を使って電極反応関与物質のエネルギーを高め，それによる自由エネルギーの増加分を電池機構などを介して電気エネルギーに変換する．
(3) 光エネルギーを反応の活性化に利用して反応速度を速める．電極反応では，光照射によって反応の過電圧を低下させ，低い電圧で多くの電流を流す電気分解を可能にする．

　これらの効果を組合わせて，人工的な光合成システムを構築する研究が進められているが，実現していない．もちろん，太陽電池で発電し，その電力で水や二酸化炭素を電解して有用な有機物を作り出すようなことはできる．それにつけても，植物内の光エネルギーの利用機構は，人工技術のはるかに及ばない巧みさをもつものといえる．(詳しくは参考書5,6を参照されたい．)

問 題

2・1 下の図を見ながら，問(1)〜(7)に答えよ．

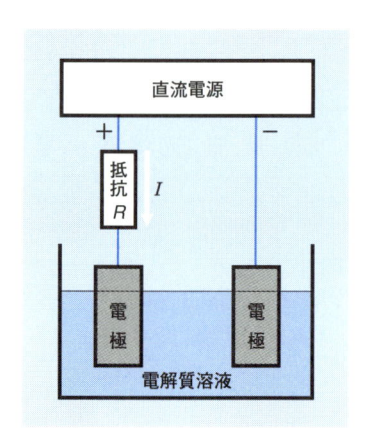

[図: 直流電源，抵抗 R，電流 I，電極，電解質溶液を示す電気分解装置の概略図]

(1) 抵抗 $R(=200\ \Omega)$ の両端の電位差が 1.6 V であった．電流 I を求めよ．
(2) 電解質溶液に硝酸銀水溶液を用い，上記の電流で 6 分間電解した．何モルの銀が析出するか．
(3) 銀は左右どちらの電極に析出するか．
(4) 銀の析出に対する電極反応式を示せ．
(5) この反応は酸化か還元か．
(6) この電解における反応速度はいくらか．
(7) もし，電流が時間とともに直線的に減少し，10 分間で 0.6 A から 0.4 A になったとする．この間に何モルの銀が析出するはずか．

2・2 銅電極をカソードとして硫酸銅水溶液を 60 分間電解した．その間の平均電流は 110 mA であった．ファラデーの法則が成り立つとすれば，銅電極上に析出する銅は何 g か．また，この実験において，銅の析出量を測定したところ，上記の理論値の 85 % 程度であった．その理由を考察せよ．

2・3 常温・常圧下での水の電気分解によって毎分 10 cm^3 の水素ガスを発生させるにはどのくらいの電流を流す必要があるか．

2・4 平衡電極電位のごく近くで $nF\eta \ll RT$ の条件が成立するような電位領域における電流と電極電位(過電圧 η)との関係式を誘導せよ．

2・5 バトラーの理論に基づいてターフェル式中の定数 a, b の内容を検討せよ．

問　題

2・6 電極反応 Ox + ne^- ⇌ Red に関与する酸化還元系 Ox/Red を含む溶液について電流-電位(電流-過電圧)曲線を測定したところ，系の種類や測定条件によって下図に示すような結果が得られた．

(1) 図(a)と図(b)の違いは，電極反応についてどのようなことを示唆しているか．バトラーの理論に基づいて考えてみよ．

(2) 図(c)では，過電圧の絶対値が十分大きい電位領域で電極電位に無関係に一定の電流が流れている．この領域の電流は，(2・36)式の予想(点線)とは大きく異なる．その理由を考察せよ．

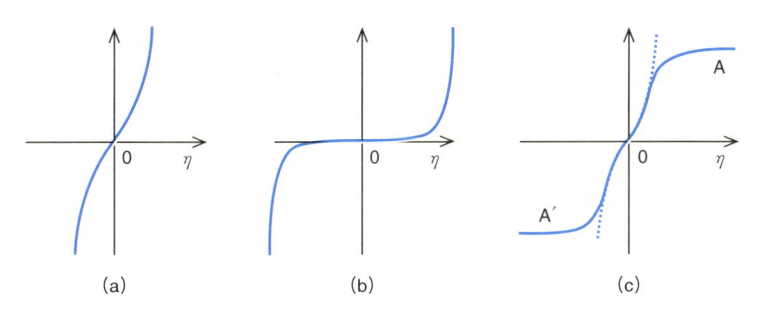

(a)　　　　　　(b)　　　　　　(c)

2・7 下図は還元体 Red (たとえばヘキサシアノ鉄酸(Ⅱ)イオン) を含む電解液中に作用電極として白金円板電極を挿入して測定したサイクリックボルタモグラムである．

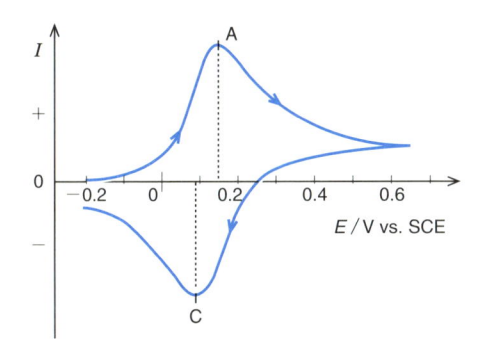

(1) 正の電流が流れている領域で進行している電極反応は何か．また，負の電流領域での電極反応は何か．

(2) 溶液中には還元体しか存在しないのに負の電流(酸化体を還元する電流)が流れるのはなぜか．

(3) 電流-電位曲線に A や C のような極大が現れ，その後は電流の絶対値が減

少する理由を考察せよ．

(4) この電極反応は電気化学的に可逆か不可逆か．その判定理由も述べよ．

(5) この電極反応の標準電極電位は約何ボルトか．

2・8 0.02 mol dm^{-3} の硫酸を含む 0.5 mol dm^{-3} の硫酸ナトリウム水溶液(25℃)中に表面積が 0.3 cm^2 の白金円板電極を入れ，水素イオンの還元反応の性質を調べた．過電圧を 0 V から－0.5 V へ飛躍させてクロノアンペロメトリーを行ったところ，電流の絶対値と $t^{-1/2}$ (t は電位飛躍後の時間)との間にはよい比例関係が成立した．

(1) この事実から，過電圧－0.5 V での反応機構についてどのようなことがいえるか．

(2) $t = 0.318$ s における電流は 11.6 mA であった．この結果から水素イオンの拡散係数を求めよ．

3

起電力と平衡電極電位

　化学反応を利用して，どれだけの電気的仕事を取出すことができるか？　これはエネルギー変換の立場からきわめて重要な問題である．すでに1章で述べたように，定温・定圧下における化学反応から取出しうる有効な仕事の最大値は，その反応に伴うギブズエネルギーの減少量に等しい．ここでは，電池系の平衡状態の解析によって，この問題を定量的に検討し，電池の起電力や平衡電極電位の解析が化学の分野でどのように役立つかを述べる．2章までと違って，本章では活量および活量係数を使うことになるが，特に厳密な考察を行う場合を除けば，活量係数の寄与（活量と濃度との数値上の違い）を無視して差し支えないことが多い．なお，2章では電流が流れている状況を取扱ったために，電極反応に関与する物質の電極面の濃度と溶液相内部の濃度とを区別する必要があったが，ここでは平衡状態（電流が流れていない状態）を取扱うので，それらを区別する必要はない．

3・1　電池の起電力
電極反応のギブズエネルギー変化と起電力
　電極系Xと電極系Yとを組合わせた電池,

$$\text{電極系 Y} \mid \text{電極系 X} \qquad (3\cdot1)$$

の起電力は，電池内における電荷の移動や化学反応がすべて平衡状態を保ち，電池内に流れる電流がゼロに等しいときの端子間電圧である．この条件下では，各電極系における電極反応も平衡状態にあって，電極電位はいずれもそれぞれの平衡電極電位に等しくなければならない．したがって，この電池の起電力 U_{emf} は，電池内

に含まれている液間電位の寄与は無視できるものと仮定すると，§1・3（p.14）で説明した関係によって次式で与えられる．

$$U_{emf} = E_e(X) - E_e(Y) \tag{3・2}$$

ここで，$E_e(X)$および$E_e(Y)$は電極系 X および Y の平衡電極電位である．また，§2・2 では，電極反応に関与する物質の濃度と平衡電極電位との関係を表すネルンスト式(2・29)を導入した．そこで，これらの結果を組合わせると，電池の組成と起電力との関係を導くことができるが，この取扱いでは，電極反応に伴う電流が(2・13)式～(2・16)式で与えられ，さらに酸化および還元の速度定数がバトラー式〔(2・22)式および(2・23)式〕に従うという反応速度論的な条件が前提になっている．しかし，起電力は電池の平衡状態に関する量であるから，その性質は反応速度論的な条件には無関係に決まるはずのものである．起電力をより一般的かつ厳密に解析するには熱力学による考察が必要になるが，その取扱いの詳細は専門書に譲り（巻末の参考書 1～4 参照），ここではその結果を起電力の解析に適用することにしよう．

定温・定圧下における化学反応から取出しうる有効な仕事の最大値は，反応に伴うギブズエネルギーの減少分に等しいことは §1・1 で述べた．このことを，電池図式(3・1)で表した電池が外部に対して行う有効な仕事，すなわち電気的仕事と電池反応の進行に伴うギブズエネルギーの変化との関係について定量的に見ていこう．熱力学的な考察によれば，問題の関係はつぎの簡単であるが重要な式で与えられる．

$$nFU_{emf} = -\Delta_r G \tag{3・3}$$

ここで U_{emf} は起電力，$\Delta_r G$ は電池図式(3・1)の内部で n mol の電気素量 e，すなわち$(n\,\text{mol}) \times N_A \times e = (n\,\text{mol}) \times F$ の正電荷を左の電極系 Y から右の電極系 X へ向かって移動させるときに進行する電池反応の**反応ギブズエネルギー**（reaction Gibbs energy）とよばれる量(SI 単位は J mol^{-1})である．この条件下では左側の電極では電極反応が酸化方向に，右側の電極では電極反応が還元方向に進行することになる．

ここで，反応ギブズエネルギーについて簡単に説明しておこう．話を少々一般化して，定温・定圧下における反応，

$$a\text{A} + b\text{B} \longrightarrow c\text{C} + d\text{D} \tag{3・4}$$

を取上げる．ある時刻 t における各物質の物質量をそれぞれ n_A, n_B, n_C, n_D，また，その状態における反応系のギブズエネルギーを G とする．時間がごくわずか経過して時刻 t' になると，その間に反応が進行して，各物質の物質量および反応系のギブズエネルギーは，それぞれ n_A', n_B', n_C', n_D' および G' に変化したとしよう(図 3・1)．この場合，各物質の変化量の間には，化学量論的につぎの関係が成立しなければならない．

$$-\frac{n_A' - n_A}{a} = -\frac{n_B' - n_B}{b} = \frac{n_C' - n_C}{c} = \frac{n_D' - n_D}{d} \qquad (3・5)$$

そこで，ギブズエネルギーの変化量 $(G' - G)$ を，(3・5)式中の各項で割った量はいずれも相等しく，この反応に固有なものとなる．

$$\Delta_r G = -\frac{G' - G}{(n_A' - n_A)/a} = -\frac{G' - G}{(n_B' - n_B)/b}$$
$$= \frac{G' - G}{(n_C' - n_C)/c} = \frac{G' - G}{(n_D' - n_D)/d} \qquad (3・6)$$

これが反応(3・4)の反応ギブズエネルギーである．反応ギブズエネルギーに 1 mol を掛けて得られるエネルギーは，たとえば反応(3・4)の場合，a mol の A と b mol の B とが消費されて c mol の C と d mol の D とが生成する変化に伴うギブズエネルギーの変化量に等しい．

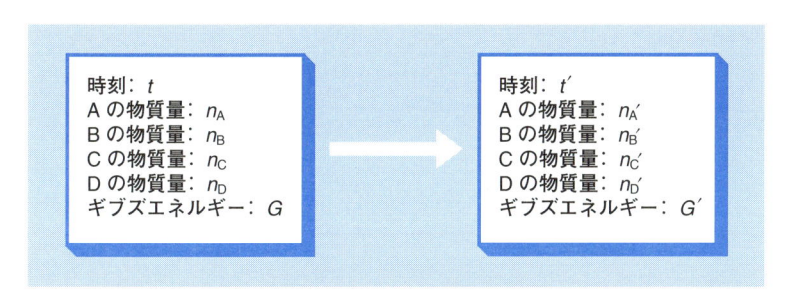

時刻: t	時刻: t'
A の物質量: n_A	A の物質量: n_A'
B の物質量: n_B	B の物質量: n_B'
C の物質量: n_C	C の物質量: n_C'
D の物質量: n_D	D の物質量: n_D'
ギブズエネルギー: G	ギブズエネルギー: G'

図 3・1　反応 $aA + bB \rightarrow cC + dD$ の進行に伴う物質量およびギブズエネルギーの変化

1 章で述べたように，温度および圧力が一定の条件下における化学変化は，ギブズエネルギーが減少する方向に向かってひとりでに進む傾向をもつ．このことを反応ギブズエネルギーを使っていい換えるとつぎの重要な原則になる：

反応 $a\mathrm{A}+b\mathrm{B}\rightarrow c\mathrm{C}+d\mathrm{D}$ の反応ギブズエネルギーが負ならば，この反応は→の方向にひとりでに進行することができる．

反応 $a\mathrm{A}+b\mathrm{B}\rightarrow c\mathrm{C}+d\mathrm{D}$ の反応ギブズエネルギーが正ならば，この反応はひとりでに進むことができない．このとき，ひとりでに進行しうるのは，逆方向への変化 $c\mathrm{C}+d\mathrm{D}\rightarrow a\mathrm{A}+b\mathrm{B}$ である．

与えられた反応の反応ギブズエネルギーは，その反応に関与する物質の濃度の関数で，その関係は次式で与えられる．反応(3・4)を例にとると，

$$\Delta_\mathrm{r} G = \Delta_\mathrm{r} G^\ominus + RT \ln \frac{a_\mathrm{C}^c a_\mathrm{D}^d}{a_\mathrm{A}^a a_\mathrm{B}^b} \qquad (3\cdot 7)$$

ここで，a_X は化学種 X の**活量**(activity)とよばれる量である．また $\Delta_\mathrm{r} G^\ominus$ は，反応に関与する物質がすべて標準状態(各物質の活量がすべて 1 に等しい状態)にあるときの反応ギブズエネルギーで，これを**標準反応ギブズエネルギー**(standard reaction Gibbs energy)という．標準反応ギブズエネルギーは，温度と圧力とを決めれば，その反応に固有な量である．さらに，与えられた反応の標準反応ギブズエネルギーと，その反応の定圧平衡定数 K との間には，

$$\Delta_\mathrm{r} G^\ominus = -RT \ln K \qquad (3\cdot 8)$$

の関係が成立する．

活量というのは，物質の熱力学的な性質(状態変化，化学平衡など)を厳密かつ一般的に取扱うために導入された概念で，濃度 c_X とは次式で結びつく量である．

$$a_\mathrm{X} = \frac{y_\mathrm{X}\, c_\mathrm{X}}{c^\ominus} \qquad (3\cdot 9)$$

$c^\ominus$ は濃度の基準値 ($c^\ominus =1\ \mathrm{mol\ dm^{-3}}$)，$y_\mathrm{X}$ は無次元の係数で，これを化学種 X の**活量係数**(activity coefficient)という(コラム 3・1 参照)．ある濃度 c を基準濃度 $c^\ominus$ で割ることにより，$c/c^\ominus$ は濃度を表すのに用いた単位を明確にした無次元の数値となる．以上の関係から，活量は単位をもたない無次元の量であることがわかる．純粋な物質の活量は，定義によって，1 に等しいと決められている．

$$a(純物質) = 1$$

また，溶液の溶媒や溶質成分については，溶液がある程度以上希薄であれば，活量

コラム 3・1 電解質の活量係数

溶液中の電解質 B の活量係数というのは，溶けている B の粒子間に何の相互作用も働かないことを仮定した理想状態に比べて，現実の状態がどの程度ずれているかを示す尺度である．活量係数の対数は粒子間の相互作用によるエネルギーに比例する．活量係数が 1 ならば，理想状態からのずれはなく，1 より大きいにしろ小さいにしろ 1 から離れるほど，理想状態からのずれが大きいことになる．水溶液中における溶質の活量係数（測定値）の例を下表に示す（さらに詳しいデータについては参考書 16 を参照）．

25 ℃ 水溶液中における溶質の活量係数（小数点以下 2 桁でまるめてある）

化学種 \ m/mol kg^{-1}	0.001	0.01	0.1	0.5	1.0	2.0	4.0
HCl	0.97	0.91	0.80	0.76	0.81	1.01	1.76
NaOH	—	—	0.77	0.69	0.68	0.70	0.89
KCl	—	—	0.77	0.65	0.60	0.58	0.58
H$_2$SO$_4$	0.83	0.54	0.27	0.15	0.13	0.12	0.17
Na$_2$SO$_4$	—	—	0.45	0.27	0.20	0.15	0.14
Ca(NO$_3$)$_2$	—	—	0.49	0.37	0.34	0.35	0.44
スクロース	—	—	1.02	1.09	1.19	1.44	2.10

十分希薄な溶液中における電解質の活量係数 y はデバイ-ヒュッケル理論による極限則（デバイ-ヒュッケル極限則），

$$\log_{10} y = -A |z_+ z_-| \sqrt{I}$$

で与えられる．ここで，z_+ および z_- は電解質を構成しているカチオンおよびアニオンの電荷数，I は溶液のイオン強度，A は温度および溶媒の誘電率で決まる理論係数〔25 ℃ の水溶液では $A=0.5114$(mol dm^{-3})$^{-1/2}$〕である．1 価-1 価電解質の場合，イオン強度が 0.01 mol dm^{-3} 程度以下の希薄水溶液ではこの理論式が比較的よく成立するが，多価電解質では式の成立範囲がさらに低濃度の領域に限られる．より高濃度溶液まで適用できる半経験式（デバイ-ヒュッケル極限則を拡張したもの）もよく知られているが，それについては他の参考書を参照されたい．〔たとえば，玉虫伶太 著，"活量とは何か"，共立出版 (1983)〕

係数をほぼ 1 と近似できることが多く，したがって通常の取扱いではつぎの関係が成立するとみなしてよい．

$$y(希薄溶液の成分) \approx 1$$
$$a(希薄溶液の成分) \approx c/c^{\ominus}$$

電池の組成と起電力との関係

電池(3・1)の各電極系における電極反応が，それぞれ次式で表される場合を例にとって考えよう．

$$\text{電極系 X: } Ox(X) + ne^- \rightleftharpoons Red(X) \quad (3 \cdot 10)$$

$$\text{電極系 Y: } Ox(Y) + ne^- \rightleftharpoons Red(Y) \quad (3 \cdot 11)$$

この電池の内部で正電荷 $(n \text{ mol}) \times F$ を電池図式(3・1)の左の電極から右の電極へ向かって移動させると，電極系 Y では電極反応が酸化方向に，電極系 X では電極反応が還元方向にそれぞれ進行して，電池全体としては，

$$Red(Y) + Ox(X) \longrightarrow Red(X) + Ox(Y) \quad (3 \cdot 12)$$

で表される電池反応が進行することになる．

この電池反応の反応ギブズエネルギーは，(3・7)式に従って，

$$\Delta_r G = \Delta_r G^{\ominus} + RT \ln \frac{a_{Ox(Y)} \, a_{Red(X)}}{a_{Red(Y)} \, a_{Ox(X)}} \quad (3 \cdot 13)$$

で与えられる．さらに，(3・9)式の関係を使って活量を濃度で書き換えると，

$$\Delta_r G = \Delta_r G_c^{\ominus} + RT \ln \frac{c_{Ox(Y)} \, c_{Red(X)}}{c_{Red(Y)} \, c_{Ox(X)}} \quad (3 \cdot 14)$$

となる．ただし $\Delta_r G_c^{\ominus}$ は，

$$\Delta_r G_c^{\ominus} = \Delta_r G^{\ominus} + RT \ln \frac{y_{Ox(Y)} \, y_{Red(X)}}{y_{Red(Y)} \, y_{Ox(X)}} \quad (3 \cdot 15)$$

(3・13)式を(3・3)式に代入して整理すると，電池(3・1)の起電力と組成との関係が次式で表される．

$$U_{emf} = U^{\ominus} - \frac{RT}{nF} \ln \frac{a_{Ox(Y)} \, a_{Red(X)}}{a_{Red(Y)} \, a_{Ox(X)}} \quad (3 \cdot 16)$$

ここで，

$$U^{\ominus} = -\frac{\Delta_r G^{\ominus}}{nF} = \frac{RT}{nF} \ln K \qquad (3\cdot17)$$

これを濃度で書き換えると，

$$U_{emf} = U_c^{\ominus} - \frac{RT}{nF} \ln \frac{c_{Ox(Y)}\, c_{Red(X)}}{c_{Red(Y)}\, c_{Ox(X)}} \qquad (3\cdot18)$$

$$U_c^{\ominus} = -\frac{\Delta_r G_c^{\ominus}}{nF} \qquad (3\cdot19)$$

となる．$U^{\ominus}$ を**標準起電力**(standard electromotive force)，$U_c^{\ominus}$ を濃度基準の標準起電力という．

与えられた温度および圧力では，標準起電力 $U^{\ominus}$ は電池に固有な量であるが，濃度基準の標準起電力 $U_c^{\ominus}$ は組成によって多少変化する．それは，一般に活量係数が組成で変化するからである．標準起電力や濃度基準の標準起電力は，電気化学的な測定によって，反応の平衡定数を求めたり，反応に関与する物質の活量係数の性質を調べたりするのに利用される．このように，標準起電力と濃度基準の標準起電力とは理論的には異なるものであるが，特に厳密な考察をする場合でなければ，近似的に，

$$U^{\ominus} \approx U_c^{\ominus}$$

とおいて差し支えないことが多い．

標準起電力と温度との関係

与えられた反応の平衡定数の定圧下における温度依存性は次式で与えられる．

$$\left(\frac{d \ln K}{dT}\right)_p = \frac{\Delta_r H^{\ominus}}{RT^2} \qquad (3\cdot20)$$

ここで，$\Delta_r H^{\ominus}$ は定圧反応熱で，熱力学では標準反応エンタルピー(standard reaction enthalpy)とよばれる量である．$\Delta_r H^{\ominus}$ は，発熱ならば負，吸熱ならば正の値をとる．(3・20)式はファントホッフの反応等圧式(reaction isobar)として知られているもので，熱力学的に厳密に誘導することができる．

(3・17)式と(3・20)式とから標準起電力とその温度変化とについてつぎの関係

が導かれる．

$$nFU^\ominus = -\Delta_r H^\ominus + nFT\left(\frac{dU^\ominus}{dT}\right)_p \qquad (3\cdot21)$$

この関係を用いると，標準起電力およびその温度依存性の測定結果から電池反応の平衡定数および定圧反応熱(標準反応エンタルピー)を求めることができる．表3・1は，このような電気化学的な方法で求めた定圧反応熱と熱測定によって直接決定した定圧反応熱とを比較した例である．異なる二つの方法による値は互いによく一致していることがわかる．

表 3・1 電池の標準起電力および熱測定から求めた定圧反応熱の比較

電 池	電池反応	$\Delta_r H^\ominus$/kJ mol^{-1}	
		起電力	熱測定
Pb ǀ PbCl$_2$ ǀ HCl ǀ AgCl ǀ Ag	Pb + 2AgCl → PbCl$_2$ + 2Ag	-105.31	-101.13
Ag ǀ AgCl ǀ HCl ǀ HgCl ǀ Hg	Ag + HgCl → AgCl + Hg	$+5.33$	$+7.93$
Tl ǀ TlCl ǀ NaCl ǀ AgCl ǀ Ag	Tl + AgCl → TlCl + Ag	-76.55	-76.15

3・2 平衡電極電位

平衡電極電位に関するネルンスト式

§1・3において，一般に電極系 X の電極電位という場合には，電極系 X を特定の基準電極 RE と組合わせた電池,

$$\text{基準電極 RE} \mid \text{電極系 X} \qquad (3\cdot22)$$

の端子間電圧を指し，それを記号 E で表すことにすると述べた（p.16 参照）．この電池が平衡状態にあるときには，電極系 X および基準電極のいずれもが平衡状態にあって，各電極の電極電位はそれぞれの平衡電極電位に等しいはずである．そこで，以後，この電池の起電力を電極系 X の平衡電極電位とよんで，それを記号 E_e で表すことにする．

$$\text{電池系 X の平衡電極電位 } E_e = \text{電池}(3\cdot22)\text{の起電力} \qquad (3\cdot23)$$

より明確には，基準電極 RE に対する電極系 X の平衡電極電位とよんで，たとえば E_e(X vs. RE) のような記号で表すべきであるが，特に必要がないかぎり簡単に

3・2 平衡電極電位

平衡電極電位ということが多い.

電極系 X の電極反応は,

$$\text{Ox} + ne^- \rightleftarrows \text{Red} \qquad (3 \cdot 24)$$

また,基準電極の電極反応は,

$$\text{Ox(RE)} + ne^- \rightleftarrows \text{Red(RE)} \qquad (3 \cdot 25)$$

で表されるとすると,電池(3・22)の内部で正電荷を左から右に移動させるときには電池反応,

$$\text{Ox} + \text{Red(RE)} \longrightarrow \text{Red} + \text{Ox(RE)} \qquad (3 \cdot 26)$$

が進行する.したがって,電池(3・22)の起電力,すなわち電池系 X の平衡電極電位が次式で与えられる.

$$E_\text{e} = -\frac{\Delta_\text{r} G^\ominus}{nF} - \frac{RT}{nF} \ln \frac{a_\text{Ox(RE)} \, a_\text{Red}}{a_\text{Red(RE)} \, a_\text{Ox}} \qquad (3 \cdot 27)$$

ここで,$\Delta_\text{r} G^\ominus$ は電池反応(3・26)の標準反応ギブズエネルギーである.基準電極の組成は決まっているから,$a_\text{Ox(RE)}$ および $a_\text{Red(RE)}$ は常に一定である.そこで,定数項をまとめて(3・27)式を書き換えると,電極系 X の平衡電極電位に対して次式が成立する.

$$E_\text{e} = E^\ominus - \frac{RT}{nF} \ln \frac{a_\text{Red}}{a_\text{Ox}} \qquad (3 \cdot 28)$$

$$E^\ominus = -\frac{\Delta_\text{r} G^\ominus}{nF} - \frac{RT}{nF} \ln \frac{a_\text{Ox(RE)}}{a_\text{Red(RE)}} \qquad (3 \cdot 29)$$

$E^\ominus$ は,基準電極 RE に対して測った電極系 X の標準電極電位である.

(3・28)式および(3・29)式を濃度で書き換えると,

$$E_\text{e} = E_\text{c}^\ominus - \frac{RT}{nF} \ln \frac{c_\text{Red}}{c_\text{Ox}} \qquad (3 \cdot 30)$$

$$E_\text{c}^\circ = E^\ominus - \frac{RT}{nF} \ln \frac{y_\text{Red}}{y_\text{Ox}} \qquad (3 \cdot 31)$$

となる.(3・28)式および(3・30)式の関係を平衡電極電位に関するネルンスト式という.これと形式的に同様の結果はすでに §2・2 で反応速度の立場から導いた〔(2・29)式,(2・30)式参照〕.そこでは,電極反応速度定数と電極電位との関係がバトラー式(2・22),(2・23)に従うことが前提になっている.それに対して,

ここで紹介した熱力学的な結果は，電極反応速度定数の電位依存性に関する理論などには無関係に，より一般的かつ厳密に成立するものである．

標準水素電極を基準とした平衡電極電位

今日，多くの電気化学測定で最もよく使われている基準電極は銀-塩化銀電極であるが，電極電位の一次基準とされているのは**標準水素電極**(standard hydrogen electrode または normal hydrogen electrode，通常 SHE または NHE と表す)である．これは，ドイツの物理化学者 W. Nernst が 20 世紀当初に行った提案に基づいている．標準水素電極というのは，白金黒をめっきした白金電極(Pt-Pt)を水素イオンの活量が 1 の水溶液中に入れ，電極の表面に気泡が接触するように活量が 1 の水素ガスを通気したもので，その図式は，

$$\text{Pt-Pt} \mid \text{H}_2(a_{\text{H}_2}=1), \text{H}^+(a_{\text{H}^+}=1)$$

で表される．この電極系における電極反応は水素ガスと水素イオンの間の酸化還元,

$$2\text{H}^+(\text{aq}) + 2e^- \rightleftharpoons \text{H}_2(\text{g})$$

である(§3・4参照)．

標準水素電極を基準としたときの電極系 X の平衡電極電位は，電池，

$$\text{Pt-Pt} \mid \text{H}_2(a_{\text{H}_2}=1), \text{H}^+(a_{\text{H}^+}=1) \mid \text{電極系 X}$$

の起電力に等しい．電池系 X における電極反応を，

$$\text{Ox} + ne^- \rightleftharpoons \text{Red}$$

とすると，上記の電池内で$(n \text{ mol}) \times F$ の正電荷を左から右に向かって移動させたときに進行する電池反応は次式で表される．

$$\frac{n}{2}\text{H}_2 + \text{Ox} \longrightarrow n\text{H}^+ + \text{Red} \tag{3・32}$$

そこで，標準水素電極を基準とした電極系 X の平衡電極電位 $E_\text{e}(\text{X vs. SHE})$ および標準電極電位 $E^{\ominus}(\text{X vs. SHE})$ は(3・28)式および(3・29)式に従って，

$$E_\text{e}(\text{X vs. SHE}) = E^{\ominus}(\text{X vs. SHE}) - \frac{RT}{nF} \ln \frac{a_\text{Red}}{a_\text{Ox}}$$

および

$$E^{\ominus}(\text{X vs. SHE}) = -\frac{\Delta_\text{r} G^{\ominus}}{nF}$$

で与えられる〔標準水素電極では $a_{\text{H}_2}=1$ および $a_{\text{H}^+}=1$，したがって(3・29)式の

右辺の第2項はゼロになる]．上式の $\Delta_r G^\ominus$ は電池反応(3・32)の標準反応ギブズエネルギーである．

$E^\ominus$ が正ならば $\Delta_r G^\ominus$ は負，$E^\ominus$ が負ならば $\Delta_r G^\ominus$ は正であるから，標準状態に

表3・2 水溶液(25 ℃)における標準電極電位 $E^\ominus$/V vs. SHE

電極系	電極反応	$E^\ominus$/V vs. SHE
Ag^+ | Ag	$Ag^+ + e^- \rightleftharpoons Ag$	+0.799
Cl^-, AgCl | Ag	$AgCl + e^- \rightleftharpoons Ag + Cl^-$	+0.2223
Al^{3+} | Al	$Al^{3+} + 3e^- \rightleftharpoons Al$	−1.676
Au^{3+} | Au	$Au^{3+} + 3e^- \rightleftharpoons Au$	+1.52
Ca^{2+} | Ca	$Ca^{2+} + 2e^- \rightleftharpoons Ca$	−2.84
Cd^{2+} | Cd	$Cd^{2+} + 2e^- \rightleftharpoons Cd$	−0.403
Ce^{4+}, Ce^{3+} | Pt	$Ce^{4+} + e^- \rightleftharpoons Ce^{3+}$	+1.71
Cl_2 (g), Cl^- | Pt	$Cl_2(g) + 2e^- \rightleftharpoons 2Cl^-$	+1.358
Cu^{2+} | Cu	$Cu^{2+} + 2e^- \rightleftharpoons Cu$	+0.340
Cu^{2+}, Cu^+ | Pt	$Cu^{2+} + e^- \rightleftharpoons Cu^+$	+0.159
Eu^{3+}, Eu^{2+} | Pt	$Eu^{3+} + e^- \rightleftharpoons Eu^{2+}$	−0.35
Fe^{3+} | Fe	$Fe^{3+} + 3e^- \rightleftharpoons Fe$	−0.04
Fe^{2+} | Fe	$Fe^{2+} + 2e^- \rightleftharpoons Fe$	−0.44
Fe^{3+}, Fe^{2+} | Pt	$Fe^{3+} + e^- \rightleftharpoons Fe^{2+}$	+0.771
$[Fe(CN)_6]^{3-}$, $[Fe(CN)_6]^{4-}$ | Pt	$[Fe(CN)_6]^{3-} + e^- \rightleftharpoons [Fe(CN)_6]^{4-}$	+0.361
Cl^-, Hg_2Cl_2 | Hg	$Hg_2Cl_2 + 2e^- \rightleftharpoons 2Hg + 2Cl^-$	+0.2682
Hg_2^{2+} | Hg(l)	$Hg_2^{2+} + 2e^- \rightleftharpoons 2Hg$	+0.796
Hg^{2+}, Hg_2^{2+} | Pt	$2Hg^{2+} + 2e^- \rightleftharpoons Hg_2^{2+}$	+0.911
I_2 (s), I^- | Pt	$I_2(s) + 2e^- \rightleftharpoons 2I^-$	+0.5355
K^+ | K	$K^+ + e^- \rightleftharpoons K$	−2.925
Li^+ | Li	$Li^+ + e^- \rightleftharpoons Li$	−3.045
Mg^{2+} | Mg	$Mg^{2+} + 2e^- \rightleftharpoons Mg$	−2.356
Mn^{2+} | Mn	$Mn^{2+} + 2e^- \rightleftharpoons Mn$	−1.18
MnO_4^-, MnO_4^{2-} | Pt	$MnO_4^- + e^- \rightleftharpoons MnO_4^{2-}$	+0.56
Na^+ | Na	$Na^+ + e^- \rightleftharpoons Na$	−2.714
Ni^{2+} | Ni	$Ni^{2+} + 2e^- \rightleftharpoons Ni$	−0.257
O_2, OH^- | Pt	$O_2 + 2H_2O + 4e^- \rightleftharpoons 4OH^-$	+0.401
O_2, H_2O | Pt	$O_2 + 4H^+ + 4e^- \rightleftharpoons 2H_2O$	+1.229
Pb^{2+} | Pb	$Pb^{2+} + 2e^- \rightleftharpoons Pb$	−0.1263
Pt^{2+} | Pt	$Pt^{2+} + 2e^- \rightleftharpoons Pt$	+1.188
Sn^{4+}, Sn^{2+} | Pt	$Sn^{4+} + 2e^- \rightleftharpoons Sn^{2+}$	+0.15
Tl^+ | Tl	$Tl^+ + e^- \rightleftharpoons Tl$	−0.3363
Zn^{2+} | Zn	$Zn^{2+} + 2e^- \rightleftharpoons Zn$	−0.7626

* より詳しい表は，たとえば日本化学会 編，"改訂4版 化学便覧 基礎編Ⅱ"，§12・2，丸善(1993)を参照．

おける酸化還元反応(3・32)についてつぎのことがわかる：

> E°(X vs. SHE)＞0 の電極系の酸化体 Ox は水素ガスを酸化することができる．
> E°(X vs. SHE)＜0 の電極系の還元体 Red は水素イオンを還元することができる．

ここで，標準状態というのは，理論的には，各物質の活量がすべて 1 に等しく，圧力は通常標準圧力(0.1 MPa)の状態を指すが，具体的には，固体，液体，気体の物質については純粋状態，溶液中の溶質については近似的に濃度が約 1 mol kg^{-1} または約 1 mol dm^{-3} の状態とみなしてよい．

ここで述べたような種々の電極系の標準電極電位 E° は，その電極における電極反応に関与する物質の酸化または還元されやすさについての重要な目安となる．有機化合物や生体関連物質などについても E° の値が求められていて，生体内での酸化還元反応などに関する有用な情報源になっている．表3・2 は，水溶液(25 ℃)中における無機物質についての E°(X vs. SHE)をまとめたものである．これらのデータの一部には起電力の測定から決定されたものもあるが，大部分は標準反応ギブズエネルギーから計算されたものである．

金属のイオン化列

金属 M の電極を金属イオン M^{n+} の水溶液中に挿入した電極系 M｜M^{n+} の標準水素電極に対する標準電極電位 E° はつぎの電池反応に対応する．

$$\frac{n}{2}\text{H}_2 + \text{M}^{n+} \longrightarrow n\text{H}^+ + \text{M}$$

したがって，標準水素電極基準による E° が負の値をもつ金属ほど水素イオンを含む水溶液に溶けやすく，水素ガスを発生しやすいはずである．金属を，その E° が負のものから正のものへ並べた系列を金属の**イオン化列**(ionization series)または**電気化学列**(electrochemical series)という(図3・2 および表3・3 参照)．

イオン化列の先端に近い金属電極系と後端に近い電極系とを組合わせると，理論上起電力の大きな電池を作ることができる．このように，イオン化列，より一般的には標準電極電位のデータは，実用電池(章末のコラム 3・4 参照)を組立てるときに重要な基礎的情報を提供する．

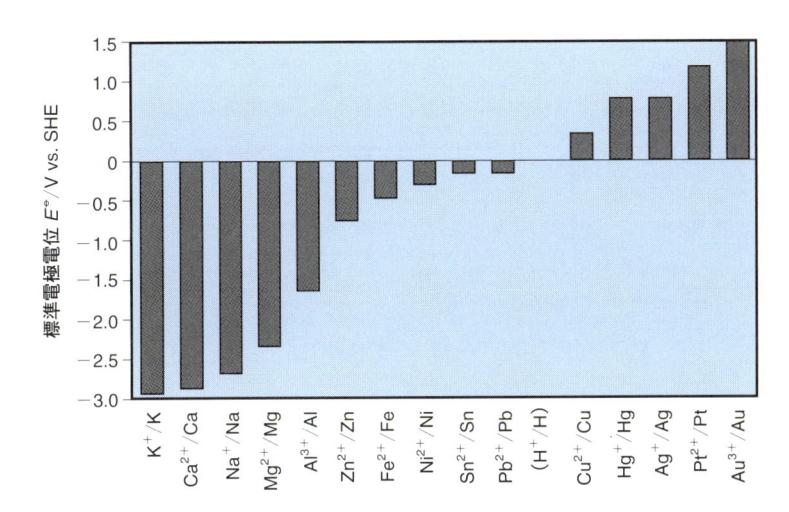

図3・2 電極系 M | M^{n+}(aq) (25 ℃)の標準電極電位(金属のイオン化列)

表3・3 金属のイオン化列と水との反応性

金属	金属イオン	$E^\ominus$/V vs. SHE	水との反応性と反応例
K	K$^+$	-2.93	水と激しく反応して水素を発生する
Ca	Ca^{2+}	-2.87	$Ca + 2H_2O \rightarrow Ca(OH)_2 + H_2$
Na	Na$^+$	-2.71	
Mg	Mg^{2+}	-2.37	水との反応は,常温では穏やかだが,熱すると激しく
Al	Al^{3+}	-1.66	なる
Zn	Zn^{2+}	-0.76	水とは反応しないが,希硫酸に溶けて水素を発生する
Fe	Fe^{2+}	-0.47	$Zn + 2H^+ \rightarrow Zn^{2+} + H_2$
Ni	Ni^{2+}	-0.27	湿った空気中で自然にさびて光沢を失う.空気中で強
Sn	Sn^{2+}	-0.14	熱すると酸化物を生ずる
Pb	Pb^{2+}	-0.13	$3Fe + 4H_2O \rightarrow Fe_3O_4 + 4H_2$
(H$_2$)	(H$^+$)	(0)	(電位基準)
Cu	Cu^{2+}	$+0.34$	希硫酸には溶けないが,硝酸や濃硫酸などの酸化力の
Hg	Hg$_2^{2+}$	$+0.79$	強いものに溶ける.空気中では酸化されにくい
Ag	Ag$^+$	$+0.80$	$Cu + 4HNO_3 \rightarrow Cu(NO_3)_2 + 2NO_2 + 2H_2O$
Pt	Pt^{2+}	$+1.2$	貴金属.酸化力がきわめて強い王水に溶ける
Au	Au^{3+}	$+1.5$	

3・3 溶液内反応の平衡と起電力

電池の起電力またはある電極系の平衡電極電位を解析すると，電池反応または電極反応に含まれている化学種が関与するさまざまな平衡現象を定量的に検討することができる．ここでは，いくつかの代表的な例について述べる．

酸化還元平衡

一例として水溶液中における(Ag, Ag^+)系と(Fe^{2+}, Fe^{3+})系との間の酸化還元反応，

$$Fe^{2+}(aq) + Ag^+(aq) \rightleftharpoons Fe^{3+}(aq) + Ag(s)$$

コラム 3・2 腐　　食

身のまわりで悪さをする電気化学現象に"腐食"がある．湿った場所にある鉄板や鉄骨が赤くさびてぼろぼろになっていく現象で，鉄ばかりでなく種々の金属で起こる．

高温で鉄がさびる原因は，おもに空気中の酸素との直接の化学反応だが，湿っている場所でのさび(湿式腐食)は，電気化学反応による．ダニエル電池(§1・2 参照)では酸化されやすい亜鉛と還元されやすい銅イオンとの反応が基本になっていて，亜鉛電極と銅電極を導線で接続すると，金属亜鉛が溶けだすと同時に銅イオンが還元されて金属銅が析出する．金属表面に，このような酸化されやすい部分と還元されやすい部分が共存すれば，そこで局部的な電池が形成され，金属内を電流が流れて酸化されやすい部分が溶出する．この現象を局部電池(local cell)による腐食という．たとえば，亜鉛板の一部に銅が付着しているような場合には，ダニエル電池と同様な反応(亜鉛の酸化と銅イオンの還元，溶液中に銅イオンがない場合には，水，水素イオンまたは酸素の還元)によって亜鉛板が腐食する．

鉄板のように均一な金属と思われる場合でも，水分を含む環境中では，不純物の存在や鉄の結晶構造の相違などの表面の不均一性により局部電池が生じ，アノードとして働く部分で腐食(鉄の酸化)が進行する．この場合，カソードになる部分での還元反応は，水または水素イオンの還元，または酸素の還元である．局部電池の性質を使って，目的とする金属の腐食を防止する方法がある．たとえば，鉄板の一部に亜鉛を付着させておくと，イオン化傾向が大きい亜鉛部分がアノード，鉄の部分がカソードの局部電池ができる．その結果，亜鉛が優先的に酸化されて，鉄の酸化による腐食が防止される．この原理による防食法を犠牲アノード法という．

の平衡を取上げる．この平衡を電気化学的な方法で解析するには，問題の酸化還元反応を電池反応とするような電池を組立てて，その起電力を調べればよい．たとえば，Fe^{2+} と Fe^{3+} とを含む水溶液中に白金電極を挿入した系($Pt \mid Fe^{2+}, Fe^{3+}$)と，Ag^+ を含む水溶液中に銀電極を挿入した系($Ag \mid Ag^+$)とを組合わせて，電池図式，

$$Pt \mid Fe^{2+}, Fe^{3+} \vdots Ag^+ \mid Ag \qquad (3\cdot33)$$

で表される電池を考える．この電池内で$(1\text{ mol})\times F$の正電荷($n=1$)を左から右へ移動するときの電池反応は，

$$Fe^{2+}(aq) + Ag^+(aq) \longrightarrow Fe^{3+}(aq) + Ag(s) \qquad (3\cdot34)$$

鉄の表面が安定で緻密な酸化物皮膜で覆われると，さびの進行が防止される．このような酸化皮膜の生成を不動態化といい，積極的に皮膜を形成させて防食に役立てることができる．イオン化傾向の大きな金属アルミニウムが腐食されにくいのは，表面に緻密な酸化アルミニウム皮膜が形成されやすいためである．塩化鉄(Ⅲ)や塩化アルミニウムは水に溶けやすいため，塩化物イオンを含む溶液の存在下では腐食が進みやすく，海岸地方での腐食がひどい原因になっている．いろいろな組成の溶液中で，金属のアノード酸化の様子を電気化学的に調べて，さびにくい(不動態化しやすい)合金(たとえばステンレス鋼)の開発などが行われている．

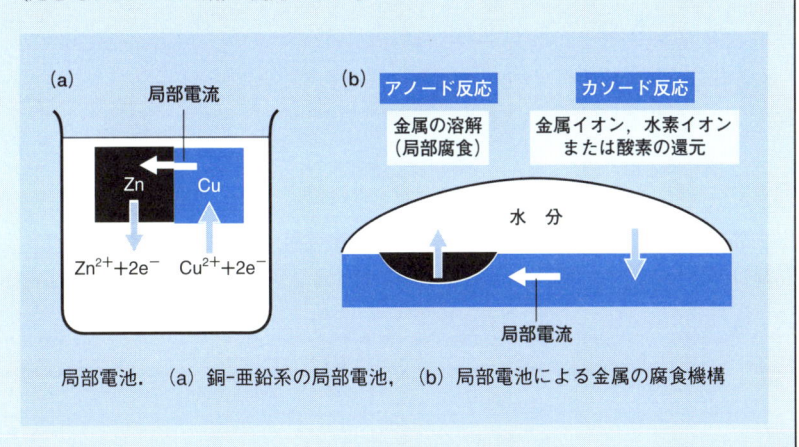

局部電池．(a) 銅-亜鉛系の局部電池，(b) 局部電池による金属の腐食機構

また，その起電力は，

$$U_{\text{emf}} = U^\ominus - \frac{RT}{F} \ln \frac{a_{\text{Fe}^{3+}} a_{\text{Ag}}}{a_{\text{Fe}^{2+}} a_{\text{Ag}^+}} \tag{3・35}$$

$$U^\ominus = -\frac{\Delta_r G^\ominus}{F} = \frac{RT}{F} \ln K \tag{3・36}$$

で与えられる．ここで，$\Delta_r G^\ominus$ および K は電池反応(3・34)の標準反応ギブズエネルギーおよび平衡定数である．

起電力を測定して標準起電力 $U^\ominus$ を決めるか，あるいは，各電極系の標準電極電位 $E^\ominus$ から標準起電力を計算すれば，(3・36)式の関係によって平衡定数 K を求めることができる．Pt｜Fe^{2+}, Fe^{3+} 系および Ag｜Ag^+ 系の $E^\ominus$ は，それぞれ，+0.77 V(vs. SHE)および +0.80 V(vs. SHE)である(表 3・2 参照)から，電池(3・33)の標準起電力 $U^\ominus$ は，

$$U^\ominus = E^\ominus(\text{Ag}｜\text{Ag}^+) - E^\ominus(\text{Pt}｜\text{Fe}^{2+}, \text{Fe}^{3+})$$
$$= 0.80 \text{ V} - 0.77 \text{ V} = 0.03 \text{ V}$$

となる．したがって，電池反応(3・34)の平衡定数は 25 ℃ においてつぎのように計算される．

$$K = \exp\left(\frac{U^\ominus F}{RT}\right) = \exp\left(\frac{0.03 \times 96490 \text{ V C mol}^{-1}}{8.315 \times 298.15 \text{ J mol}^{-1}}\right) = 3.21$$

錯形成反応の平衡

ある特定の金属のイオンで酸化数の異なるものをそれぞれ M および N とし，それらの間の酸化還元反応を，

$$\text{M} + ne^- \rightleftharpoons \text{N}$$

とする(ただし，イオンの電荷は特に必要がないかぎり省略する)．この酸化還元反応を電極反応とする電極系(M, N)の特定の基準電極に対する平衡電極電位 E_e は，各物質の活量係数を近似的に 1 に等しいと仮定すると，(3・30)式および(3・31)式に従って，

$$E_e = E^\ominus(\text{M}, \text{N}) - \frac{RT}{nF} \ln \frac{[\text{N}]}{[\text{M}]} \tag{3・37}$$

で与えられる．ここで，$E^\ominus(\text{M}, \text{N})$ は電極系(M, N)の標準電極電位である．また，[M], [N]は[ ]内に示した化学種の濃度を表す(以下，同様)．

比較的簡単な例として，M および N が溶液中でそれぞれ錯体 ML_p および NL_q

と平衡にある場合を考えよう.

$$M + pL \rightleftharpoons ML_p \qquad \beta(ML_p) = \frac{[ML_p]}{[M][L]^p}$$

$$N + qL \rightleftharpoons NL_q \qquad \beta(NL_q) = \frac{[NL_q]}{[N][L]^q}$$

ただし,Lは配位子,$\beta(ML_p)$および$\beta(NL_q)$は,それぞれML_pおよびNL_qの全生成定数である.この場合,溶液中に存在する酸化体の全濃度および還元体の全濃度をそれぞれ[Ox]および[Red]とすると,それらは次式で与えられる.

$$[Ox] = [M] + [ML_p] = [M](1 + \beta(ML_p) \cdot [L]^p)$$
$$[Red] = [N] + [NL_q] = [N](1 + \beta(NL_q) \cdot [L]^q)$$

上式から[M]および[N]を求めて(3・37)式に代入すると,溶液内の錯形成反応について平衡が成立しているときの平衡電極電位が次式で与えられる.

$$E_e = E^{\ominus}(M, N) - \frac{RT}{nF} \ln \frac{[Red]}{[Ox]} - \frac{RT}{nF} \ln \left\{ \frac{1 + \beta(ML_p) \cdot [L]^p}{1 + \beta(NL_q) \cdot [L]^q} \right\} \qquad (3 \cdot 38)$$

特に,生成定数が比較的大きく,溶液中に多量の配位子が存在している場合には,

$$\beta(ML_p) \cdot [L]^p \gg 1 \qquad \beta(NL_q) \cdot [L]^q \gg 1$$

の関係が成立するから,(3・38)式を近似的につぎのように書くことができる.

$$E_e + \frac{RT}{nF} \ln \frac{[Red]}{[Ox]} = E^{\ominus}(M, N) - \frac{RT}{nF} \ln \frac{\beta(ML_p) \cdot [L]^p}{\beta(NL_q) \cdot [L]^q}$$

そこで,上式の左辺を配位子濃度の対数に対してプロットすると直線関係が得られ,その傾きより$(p-q)$が,また$E^{\ominus}(M, N)$がわかっていれば生成定数の比$\beta(ML_p)/\beta(NL_q)$を決定できるはずである.

以上の結果は,溶液内での錯形成平衡を平衡電位の測定によって解析するのに利用されている.

沈殿反応

金属|金属イオン電極系の平衡電極電位を測定して金属イオンとアニオンとの間の沈殿生成反応を解析することができる.典型的な例として,ハロゲン化銀の生成を銀電極($Ag | Ag^+$)系で調べる場合を取上げよう.銀電極系の電極反応は,

$$Ag^+ + e^- \longrightarrow Ag$$

であるから,その平衡電極電位は,

$$E_e = E^\ominus - \frac{RT}{F} \ln \frac{a_{Ag}}{a_{Ag^+}}$$

で与えられる〔(3・28)式参照〕. ここで, $E^\ominus$ は銀電極系の標準電極電位, a_{Ag} および a_{Ag^+} は Ag および Ag^+ の活量である. ところで,純粋な固体の活量は1に等しい(p.76 参照)から, $a_{Ag}=1$ とおくと,この銀電極系の E_e は溶液中の銀イオンの活量(近似的には濃度)で決まることがわかる.

$$E_e = E^\ominus + \frac{RT}{F} \ln a_{Ag^+} \qquad (3 \cdot 39)$$

いま,溶液相中にハロゲン化物イオン X^- を添加するとハロゲン化銀の沈殿が生成する.

$$Ag^+ + X^- \rightleftharpoons AgX$$

沈殿 AgX の溶解度積 K_s は,

$$K_s = a_{Ag^+} a_{X^-} \qquad (3 \cdot 40)$$

で与えられる. したがって, (3・39)式および(3・40)式より, 沈殿が存在するときの銀電極の平衡電極電位 E_e に対してつぎの関係が導かれる.

$$E_e = E^\ominus + \frac{RT}{F} \ln K_s - \frac{RT}{F} \ln a_{X^-} \qquad (3 \cdot 41)$$

この式に基づいて平衡電極電位と X^- の活量(近似的には濃度)との関係を解析すると溶解度積 K_s を決定することができる. 実際には,たとえば硝酸銀溶液をハロゲン化物イオンの溶液で滴定するか,または,ハロゲン化物イオンの溶液を硝酸銀溶液で滴定するかしながら銀電極の平衡電極電位を測定して,滴定量と電位との関係を解析すればよい. このような方法を**電位差滴定**(potentiometric titration)といい,ハロゲン化物イオンの定量にも利用される.

塩化物イオンによる塩化銀の沈殿を例にとると,温度 25 ℃において,塩化物イオンの活量が1に等しいと考えられる条件下での平衡電極電位は $E_e=0.222$ V(vs. SHE), また, 銀電極の標準電極電位は $E^\ominus=0.80$ V(vs. SHE)であることがわかっている. これらのデータから(3・41)式によって塩化銀の溶解度積を計算すると,

$$K_s = a_{Ag^+} a_{X^-} = \exp\left\{\frac{F(0.222 - 0.80)}{RT}\right\} = 1.7 \times 10^{-10}$$

となる.銀イオンおよび塩化物イオンの活量係数がいずれも 1 に等しいと近似すると,物質量濃度で表した溶解度積が $K_s = c_{Ag^+} c_{X^-} = 1.7 \times 10^{-10}\,(\mathrm{mol\,dm^{-3}})^2$ で与えられる.

3・4 種々の電極の平衡電極電位

これまでにもいく種類かの電極の平衡電極電位について触れてきたが,ここでは平衡電位を測定する具体的な方法と,安定で再現性のよい平衡電極電位を示す電極の代表例をまとめておく.これらの電極の平衡電極電位は,その電極反応に関与する物質の活量(近似的には濃度)の関数になるので,その物質の検出や定量に利用することができる.平衡電極電位に関する以下の式において $E^\ominus$ は対応する電極反応の標準電極電位(表 3・2 参照)を表す.

平衡電極電位の測定

§1・3 および §3・1 で述べたことからわかるように,ある電極系 X の平衡電極電位を測定するには,電極系 X を基準電極 RE と組合わせた電池,

基準電極 RE ┆ 電極系 X

の起電力を測ればよい.起電力というのは,問題の電池に流れる電流がゼロのとき(または,電池の端子間を開放したとき)の端子間電圧に等しい(p.74).そこで,十分な精度で簡単に起電力を測定するには,入力抵抗がきわめて高いデジタルボルトメーター(DVM)を用いるのが便利である.このようなデジタルボルトメーターを両電極端子間に接続すると,電池系にほとんど電流が流れない状態での端子間電圧,すなわち起電力が測定できる.溶液の組成を変えながら起電力を測定する装置の一例を図 3・3 に示す.

水 素 電 極

すでに述べたように,つぎの電池図式,

Pt-Pt | H_2 | H^+ を含む溶液

で表される水素電極は基準電極として重要なもので,その平衡電極電位は電極反応,

$$2H^+ + 2e^- \longrightarrow H_2$$

に対応して,Nernst 式(3・28)に基づいてつぎのように表される.

$$
\begin{aligned}
E_e &= E^\ominus - \frac{RT}{2F} \ln \frac{a_{H_2}}{(a_{H^+})^2} \\
&= E^\ominus - \frac{RT}{2F} \ln a_{H_2} + \frac{RT}{F} \ln a_{H^+} \\
&= E^\ominus - \frac{RT}{2F} \ln a_{H_2} - \frac{2.303\,RT}{F} \text{pH} \quad (3 \cdot 42)
\end{aligned}
$$

ここで，a_{H_2} は水素ガスの活量，a_{H^+} は溶液中の水素イオンの活量，$E^\ominus$ は水素電極の標準電極電位である．

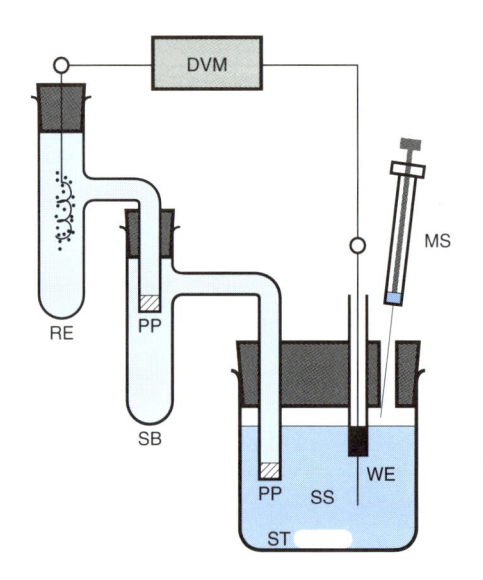

図 3・3 簡単な起電力測定装置．DVM: 高入力抵抗の電圧計，WE: 作用電極，RE: 基準電極，SB: 塩橋，SS: 試料溶液，PP: 多孔性隔壁(ガラスフィルター，沪紙など)，MS: 試料注入用マイクロシリンジ，ST: 撹拌子

水素電極の具体的な構造の一例を図 3・4 に示す．Pt-Pt 電極の表面で水素イオンを含む溶液と水素ガスの気泡とが接触することが重要である．水素イオン濃度と水素ガスの圧力を標準状態(水素イオンの活量が 1，水素ガスの圧力が 0.1 MPa の状態)にしたものを標準水素電極という．Nernst は，標準水素電極の電極電位は，

3・4 種々の電極の平衡電極電位

あらゆる温度でゼロであると定義(約束)することを提案した．以来，標準水素電極は電極電位の一次基準になっている．標準水素電極を基準にした各種電極の電極電位を，水素電極尺度による値という．

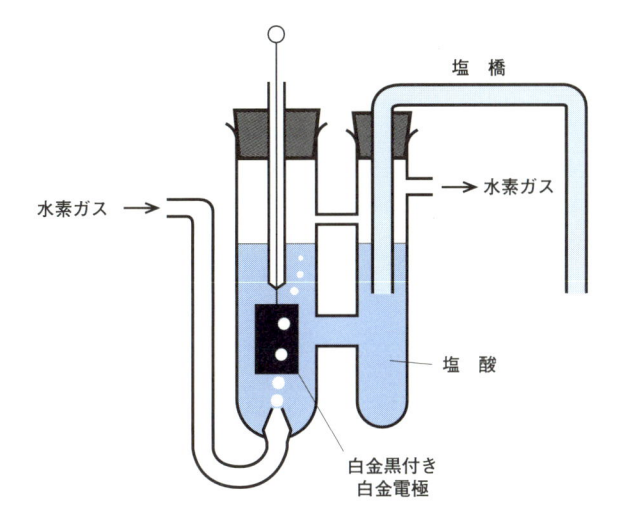

図 3・4 水素電極の例

ところで，水素イオンの活量は理論的には実測できない量なので，標準水素電極の条件を厳密に満足する水素電極を実際に組立てるのは困難である．しかし，水溶液中における種々の電解質の活量に関する研究によって，たとえば，

$$\text{Pt-Pt} \mid \text{H}_2\,(0.1\text{ MPa}) \mid 1.2\text{ mol kg}^{-1}\text{ HCl (aq)}$$

の組成をもつ水素電極は標準水素電極の条件を事実上満足すると考えられている．

(3・42)式からわかるように，水素電極は溶液中の水素イオンのセンサーとして働き，理論的には pH 測定の最も基本的な電極とされている．しかし，取扱いが比較的困難なために，実用的にはほとんど使われていない．今日，pH 測定用センサーの主体は後に述べるガラス電極である．

銀-銀イオン電極

銀イオンを含む溶液(たとえば硝酸銀水溶液)中に銀電極を挿入した電極系，

$$\text{Ag}^+ \text{ を含む溶液} \mid \text{Ag}$$

はすでに p.89, 90 で紹介したが，ここでは，金属のイオン化列で述べた金属-金

3. 起電力と平衡電極電位

属イオン電極の代表例として，その性質を少し詳しく調べてみよう．銀-銀イオン電極における電極反応，

$$Ag^+ + e^- \rightleftharpoons Ag$$

は可逆的で(このような金属-金属イオンによる可逆電極を第1種可逆電極という)，その25℃における平衡電極電位は(3・39)式により，

$$E_e = E^\ominus + \frac{2.303\,RT}{F} \log_{10} a_{Ag^+} \tag{3・43}$$

で与えられる．ここで，$E^\ominus$ は銀-銀イオン電極の標準電位，a_{Ag^+} は溶液中の銀イオンの活量である．銀イオンの活量係数は近似的に 1 と仮定すると，(3・43)式は，

$$E_e = E^\ominus + 0.059\,\text{V} \log_{10} \frac{c_{Ag^+}}{c^\ominus}$$

となる(c_{Ag^+} は銀イオンの濃度，$c^\ominus = 1\,\text{mol dm}^{-3}$)．

具体的な測定の一例として，Ag-AgCl-sat. KCl 電極を基準電極として電池，

Ag-AgCl-sat. KCl (RE) ┊ KNO₃ 水溶液(SB) ┊ AgNO₃ 水溶液 ∣ Ag

を組立て，硝酸銀水溶液の濃度を変えて銀-銀イオン電極の平衡電極電位を測定してみよう．ここで，基準電極と硝酸銀水溶液との間に硝酸カリウム水溶液を満たした塩橋(SB)を挿入してあるのは，基準電極の塩化カリウム水溶液と銀-銀イオン電

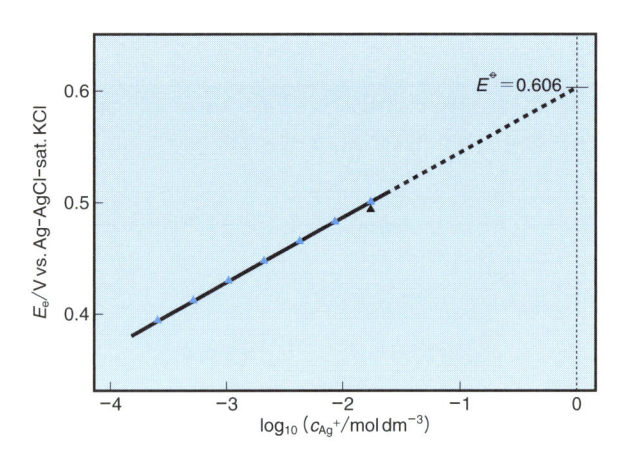

図3・5 銀-銀イオン電極の平衡電極電位 (25℃) と銀イオン濃度との関係

極の硝酸銀水溶液が直接接触して塩化銀ができるのを防ぐためである．

測定した銀-銀イオン電極の平衡電極電位 E_e を硝酸銀濃度（銀イオン濃度 c_{Ag^+}）の対数に対しプロットすると，図 3・5 のようによい直線関係を示す．直線の傾斜は 10 倍の濃度変化に対し 57 mV で，これは理論値の 59 mV とほぼ一致しているといえる．また，この直線から求めた標準電極電位 $E^{\ominus}$ の近似値（$c_{Ag^+}=1$ mol dm^{-3} における電位）は +0.606 V vs. Ag-AgCl-sat. KCl となる．これを標準水素電極基準の Ag-AgCl-sat. KCl 電極の平衡電極電位（表 3・4 参照）を用いて水素電極尺度による値に換算すると +0.803 V vs. SHE となり，文献値 +0.799 V vs. SHE（表 3・2 参照）によく合っている．なお，図中の ▲ 点は 0.016 mol dm^{-3} 硝酸銀溶液に 0.02 mol dm^{-3} の硝酸を添加した場合で，水素イオンや硝酸イオンが平衡電極電位に及ぼす影響が少ないことがわかる．

さらに精密な平衡電極電位の測定・解析においては，液間電位の寄与やイオンの活量係数についての考察を要するが，ここでは省略する．

銀-ハロゲン化銀電極

銀-ハロゲン化銀電極は，表面をハロゲン化銀 AgX で覆った銀電極をハロゲン化物イオン X$^-$ を含む溶液中に挿入した系，

$$\text{X}^- \text{ を含む溶液} \mid \text{AgX} \mid \text{Ag}$$

で，その電極反応は，

$$\text{AgX}(\text{金属塩相}) + \text{e}^-(\text{金属相}) \rightleftharpoons \text{Ag}(\text{金属相}) + \text{X}^-(\text{溶液相})$$

で表される．これに対応して，平衡電極電位のネルンスト式が

$$E_e = E^{\ominus} - \frac{RT}{F} \ln \frac{a_{Ag}\, a_{X^-}}{a_{AgX}}$$

で与えられる〔(3・28)式参照〕．ここで，$E^{\ominus}$ はこの電極系の標準電極電位，a_{X^-} は溶液相中の X$^-$ の活量，また a_{Ag} および a_{AgX} は，それぞれ銀およびハロゲン化銀の活量であるが，それらはいずれも純粋な固体であるから $a_{Ag}=1$，$a_{AgX}=1$ とおくことができる．したがって，平衡電極電位はハロゲン化物イオンの活量（近似的には濃度）で決まることがわかる．

$$E_e = E^{\ominus} - \frac{RT}{F} \ln a_{X^-}$$

銀-ハロゲン化銀電極のように金属相，不溶性金属塩相，塩と共通なアニオンを含む電解質溶液相の 3 相から成る可逆電極を第 2 種可逆電極といい，その電極電

位は一般にきわめて安定である．また，この種の電極系は，その平衡電極電位が溶液中のハロゲン化物イオンの活量または濃度の関数になるので，ハロゲン化物イオンを検出・定量する電気化学センサーとして利用される．

基準電極としてしばしば実験に用いられる銀-塩化銀電極は，この種の電極の代表例で，表面を塩化銀で覆った銀電極を塩化物イオンを含む溶液中に挿入したものである．塩化銀は水への溶解度がきわめて低く，電極表面を覆った状態で安定に存

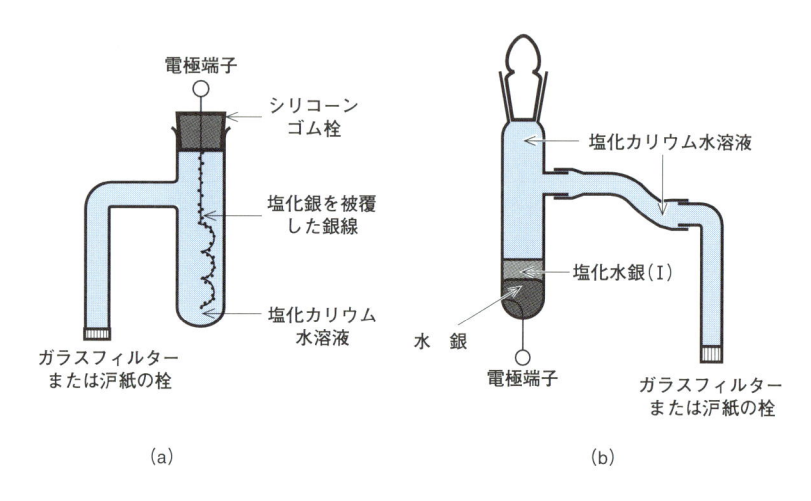

図 3・6 (a) 銀-塩化銀電極，(b) カロメル電極

在する．銀-塩化銀電極の具体的な構造の一例を図 3・6(a)に示す．簡便な作成方法としては，直径 0.5～1 mm の銀線を，1 mol dm^{-3} 程度の塩化水素水溶液に浸してアノードとし，別の銀線または白金線をカソードにして，乾電池などによって 1.5 V 程度の電圧を加えて電解するとアノード(⊕側)の銀表面が塩化銀で覆われる．これを濃度既知の塩化物イオンを含む溶液(塩化カリウム水溶液など)に挿入すればよい．溶液中の塩化物イオン濃度が高いと塩化銀の溶解度が増すので，溶液に飽和塩化カリウム水溶液を使う場合にはあらかじめ溶液を塩化銀で飽和させておくことが重要である．このような簡便法で，電極電位の再現性が ±1 mV 程度のものを作ることができる．さらに精度のよい電極を作るには適当な参考文献(たとえば巻末の参考書 9 および 10)を参照されたい．基準電極に用いる銀-塩化銀電極の平衡電極電位を表 3・4 に示す．

3・4 種々の電極の平衡電極電位

表 3・4 基準電極に用いる銀-塩化銀電極およびカロメル電極の平衡電極電位 (25 ℃)

[KCl][a]/mol dm^{-3}	E_e/V vs. SHE	
	銀-塩化銀電極	カロメル電極
0.1	+0.289	+0.334
1	+0.236	+0.281
飽和	+0.197	+0.241

a) 塩化カリウム水溶液の濃度

図 3・3 の WE に銀-塩化銀電極を,また試料溶液 (SS) に塩化カリウム水溶液を用いて電池,

$$\text{Ag-AgCl-sat. KCl} \mid \text{KCl (SS)} \mid \text{AgCl} \mid \text{Ag} \quad (3・44)$$

を構成し,塩化カリウム濃度を変化させて起電力 U_{emf} を測定してみよう.この電池内で正電荷を左から右に移動させると,左側の電極系では,

$$\text{Ag} + \text{Cl}^- \text{ (sat. KCl 中)} \longrightarrow \text{AgCl} + \text{e}^- \quad (3・45)$$

の電極反応が,右側の電極系では,

$$\text{AgCl} + \text{e}^- \longrightarrow \text{Ag} + \text{Cl}^- \text{ (SS 中)} \quad (3・46)$$

の電極反応がそれぞれ進行して,電池全体としてはつぎの電池反応が起こることになる.

$$\text{Cl}^- \text{ (sat. KCl 中)} \longrightarrow \text{Cl}^- \text{ (SS 中)} \quad (3・47)$$

また,その起電力は,

$$U_{emf} = E_e(\text{右}) - E_e(\text{左})$$

で与えられる.ここで,$E_e(\text{右})$ および $E_e(\text{左})$ は右側および左側の銀-塩化銀電極の平衡電極電位で,右側および左側の塩化カリウム溶液中の塩化物イオンの活量を $a_{\text{Cl}^-(\text{SS})}$ および $a_{\text{Cl}^-(\text{sat})}$ とするとそれぞれ次式で与えられる.

$$E_e(\text{右}) = E^\ominus - \frac{RT}{F} \ln a_{\text{Cl}^-(\text{SS})}$$

$$E_e(\text{左}) = E^\ominus - \frac{RT}{F} \ln a_{\text{Cl}^-(\text{sat})}$$

上式における $E^\ominus$ は共通の値であり,また左側の銀-塩化銀電極は基準電極で $a_{\text{Cl}^-(\text{sat})}$ は一定であるから,電池 (3・44) の起電力は次式を満足することになる.

$$U_{emf} = \frac{RT}{F} \ln \frac{a_{\text{Cl}^-(\text{sat})}}{a_{\text{Cl}^-(\text{SS})}} = \text{const.} - \frac{2.303\, RT}{F} \log_{10} \frac{c_{\text{Cl}^-(\text{SS})}}{c^\ominus} \quad (3・48)$$

以上の結果から，電池(3・44)の電池反応は，左右両電極の平衡電極電位を決めている化学種である塩化物イオンが左側から右側へ移動する現象で，その起電力は塩化物イオンの活量比(近似的には濃度比)で決まることがわかる．ここで，電池反応(3・47)で表される現象は塩化物イオンの物理的な移動(たとえば拡散のような)で

コラム 3・3 化学センサー

種々の化学物質を検出するためにいろいろな"化学センサー"がある．このうち電気化学現象を用いたセンサーも多く，電池系を構成して検出物質の種類や濃度によって変わる起電力を測定するもの，検出物質の電極反応による電流を検出するもの，溶液の電気伝導率の変化を検出するものなどがある．

通常，センサーは特定の物質を検出・定量することを目的とする場合が多く，目的外の物質による検出量への影響が少ないものが好ましい．特定物質のみに応答する特性を選択性，目的外の物質で測定量に影響を及ぼすものを妨害物質とよぶ．たとえば，銀-塩化銀電極で塩化物イオンを検出・定量しようとする場合，溶液中に臭化物イオン，ヨウ化物イオン，チオシアン酸イオンなどが含まれていると，それらは起電力に影響を及ぼし妨害イオンとなる．

酸化ジルコニウムを固体電解質とする高温用酸素センサーがある．数百 ℃ の酸化ジルコニウムは，酸素イオン伝導体で，酸化ジルコニウム固体層の両端に固定した電極(多孔性白金電極など)面における酸素濃度の相違により起電力を生じる．その機構は，濃淡電池の一種と考えてよい．そこで，一方の電極面には酸素濃度が一定の標準ガス(たとえば空気)，他方の電極面には試料ガスを供給して起電力を測れば，試料中の酸素濃度を測定できる．このセンサーは，自動車エンジンの高温燃焼ガス中の酸素濃度測定などに利用されている．

電極反応に伴う電流を検出する方式の酸素センサーもある．金電極を用い，電解質(KOH，KCl など)水溶液中で電極電位を約 -0.6 V vs. Ag-AgCl-sat. KCl にすると酸素の還元が起こる．このセンサーでは，気体透過性のプラスチック薄膜(テフロンやポリエチレンなど)を電極付近に張り，膜外の気体から膜を通して膜と電極の間の薄い溶液層に溶け込んだ酸素ガスを還元し，それに伴う電流を測定する．電流は酸素の膜透過速度，すなわち膜外の気体中の酸素濃度に比例する．また，試料水溶液中にセンサーを直接挿入することにより，試料溶液中の溶存酸素濃度を測定することもできる．

最近注目を浴びているセンサーに酵素センサーとよばれるものがある．これは酵素の触媒活性を利用して特定の物質を選択的に検出・定量するためのものである．たと

3・4 種々の電極の平衡電極電位

はなく，左右における電極反応(3・45)および(3・46)を介して進行するものであることに注意しなければならない．この例のように，左右の電極における電極反応が同じで，平衡電極電位を決める化学種の活量(近似的には濃度)だけが異なる電池系を**濃淡電池**(concentration cell)という．濃淡電池の起電力は，電極反応に関与す

えば，金電極の表面に酸素透過性のプラスチック膜をかぶせ，さらにその外側をGOD 膜(グルコースを酸化する酵素，グルコースオキシダーゼ(GOD)を高分子膜に固定したもの)で覆ったものは，溶液中のグルコースの測定に利用される．この酵素電極では，電極電位を約 -0.6 V vs. Ag-AgCl-sat. KCl にすると，上記の酸素センサーと同様の原理で，溶けている酸素濃度に比例する電流が流れる．ところで，溶液中にグルコースが含まれていると，GOD 膜のところで，

$$\text{グルコース} + O_2 \xrightarrow{\text{GOD}} \text{グルコン酸} + H_2O_2$$

の酵素反応が進む結果，溶液中の酸素が消費される．したがって，溶存酸素濃度の減少を測れば，それからグルコースの濃度を知ることができる．この例のように生体物質を使ったセンサーは一般にバイオセンサーとよばれ，さまざまなものが開発されている．(詳しくは参考書 4 および 5 を参照されたい.)

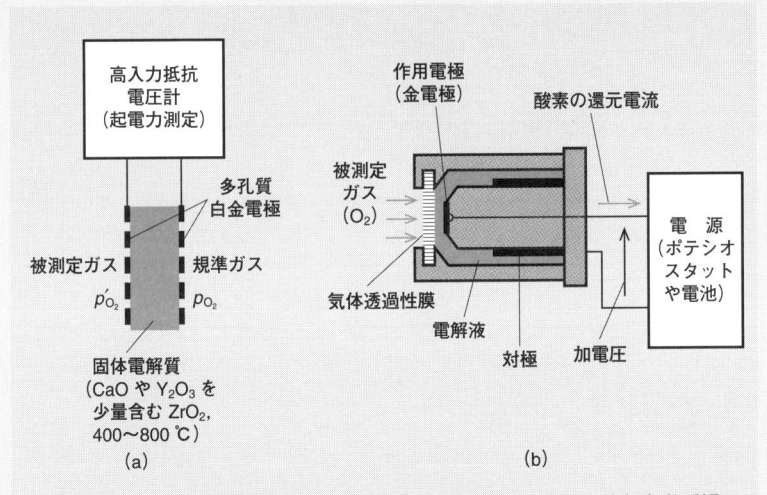

酸素センサー．(a) 固体電解質を用いる高温作動酸素センサー．(b) 気体透過性膜を通して電解液に溶け込む酸素の還元電流を測定する酸素センサー

る化学種の濃度差に基づくギブズエネルギーの差に対応する電位差である．

電池(3・44)の起電力 U_{emf} と溶液 SS 中の塩化物イオン濃度の対数との間には，図 3・7(a)に示すように，負の傾斜をもつよい直線関係が見られる．この結果は(3・48)式が成立していることを示している．電池(3・44)の試料溶液 SS に 0.5 mol dm^{-3} 硫酸ナトリウム水溶液を用い，それに塩化ナトリウムを添加した場合の起電力と塩化物イオン濃度との関係を図 3・7(b)に示す．硫酸ナトリウムの存在により，起電力がやや低下する影響が見られる．なお，0.5 mol dm^{-3} 硫酸ナトリウム水溶液に臭化物イオンやヨウ化物イオンを添加すると，塩化物イオンの場合に類似の電位変化が現れる．これは臭化銀やヨウ化銀が塩化銀に類似の性質をもつことを示している．

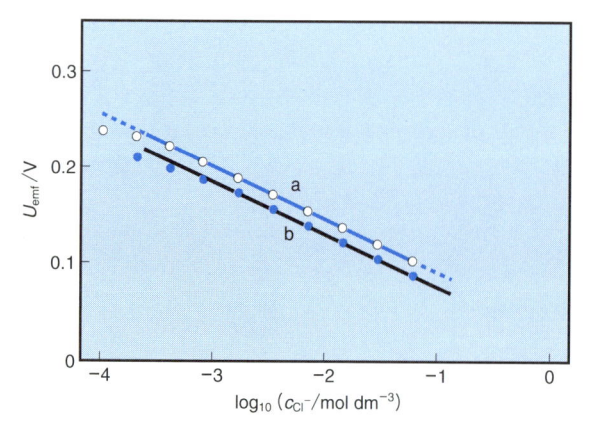

図 3・7　電池 Ag-AgCl-sat. KCl｜試料溶液(SS)｜AgCl｜Ag の起電力（25 ℃）と試料溶液 SS 中の塩化物イオン濃度との関係．(a) ―○―: SS が KCl 水溶液の場合．(b) ―●―: SS が NaCl を含む 0.5 mol dm^{-3} Na$_2$SO$_4$ 水溶液の場合

カロメル電極

塩化物イオンを含む溶液(たとえば塩化カリウム水溶液)と水銀とをよく練り合わせた Hg$_2$Cl$_2$(これをカロメルという)ペーストで水銀の表面を覆い，それを塩化物イオンを含む溶液中に入れた電極系，

　　　　　　　塩化物イオンを含む溶液｜Hg$_2$Cl$_2$｜Hg

をカロメル電極(calomel electrode)または甘コウ電極という．その電極反応は，

$$\frac{1}{2}\text{Hg}_2\text{Cl}_2\,(\text{金属塩相}) + \text{e}^-\,(\text{金属相}) \rightleftharpoons \text{Hg}\,(\text{金属相}) + \text{Cl}^-\,(\text{溶液相})$$

で表され，平衡電極電位は銀-塩化銀電極と同じ形の式，

$$E_\text{e} = E^\ominus - \frac{RT}{F}\ln a_{\text{Cl}^-}$$

に従う．

この電極は銀-塩化銀電極と同様に第 2 種可逆電極で，表面積が大きく電極電位が安定なものを作りやすい．使用目的に応じて種々の形状のものがあるが，比較的簡単な例を図 3・6(b)に示す．溶液相が飽和塩化カリウム水溶液のものをSCE (saturated calomel electrode)，1 mol dm^{-3} 塩化カリウム水溶液のものをNCE (normal calomel electrode)という．実用的な基準電極として従来よく用いられていたが，水銀が常温で液体のために取扱いがやや不便なことと，その毒性とが難点である．代表的なカロメル電極の平衡電極電位を表3・4に示す．

金属-金属酸化物電極

通常，酸化物電極(oxide electrode)とよばれているもので，アンチモンの表面を酸化アンチモンの固体で覆ったアンチモン電極はその代表的な例である．この電極を酸性水溶液中に挿入した系，

$$\text{酸性水溶液} \mid \text{Sb}_2\text{O}_3 \mid \text{Sb}$$

の平衡電極電位は電極反応，

$$\frac{1}{6}\text{Sb}_2\text{O}_3(\text{s}) + \text{H}^+(\text{aq}) + \text{e}^- \longrightarrow \frac{1}{3}\text{Sb}(\text{s}) + \frac{1}{2}\text{H}_2\text{O}(\text{l})$$

に対して，

$$E_\text{e} = E^\ominus + \frac{RT}{F}\ln a_{\text{H}^+} = E^\ominus - \frac{2.303\,RT}{F}\text{pH}$$

で与えられる．(固体のアンチモンおよび酸化アンチモンの活量はいずれも 1，また希薄溶液中の水の活量も 1 とおけることに着目せよ．)したがって，理論的には，この種の電極を使って溶液の pH を測ることができるが，現在では pH 測定用にはほとんど利用されていない．

酸化還元電極

ある物質の酸化体 Ox と還元体 Red とが共存している溶液中に白金のような不

3. 起電力と平衡電極電位

活性電極を挿入した系,

Ox と Red を含む溶液 | 不活性電極

を一般に**酸化還元電極**(oxidation-reduction electrode または redox electrode)という.典型例はヘキサシアノ鉄(Ⅱ)酸イオンとヘキサシアノ鉄(Ⅲ)酸イオン〔それぞれ Fe(Ⅱ), Fe(Ⅲ)と略記〕を含む水溶液中に白金電極を挿入した系,

Fe(Ⅱ), Fe(Ⅲ) | Pt　　　　　(3・49)

で,その平衡電極電位は電極反応,

$$[\mathrm{Fe(CN)}_6]^{3-} + \mathrm{e}^- \rightleftharpoons [\mathrm{Fe(CN)}_6]^{4-}$$

に対して,ネルンスト式,

$$E_\mathrm{e} = E^\ominus - \frac{2.303\,RT}{F} \log_{10} \frac{c_{\mathrm{Fe(Ⅲ)}}}{c_{\mathrm{Fe(Ⅱ)}}} \qquad (3\cdot50)$$

で与えられる(厳密には濃度を活量で置き換える).

Ag-AgCl-sat. KCl ┆ Fe(Ⅱ), Fe(Ⅲ) | Pt

Fe(Ⅱ)と Fe(Ⅲ)の種々の濃度の組合わせで E_e を測定し,それを $\log_{10}(c_{\mathrm{Fe(Ⅲ)}}/c_{\mathrm{Fe(Ⅱ)}})$ に対してプロットすると,図 3・8 に示すように,傾斜が約 60 mV の直線関係が得られる.この結果は,ネルンスト式(3・50)が成立していることを示している.また,この測定から得られた標準電極電位 $E^\ominus$ は +0.15 V vs. Ag-AgCl-sat.KCl,すなわち +0.35 V vs. SHE で,文献値 +0.36 V vs. SHE(表 3・2 参照)にかなりよく一致している.

有機化合物の酸化還元電極の例として,キンヒドロン(キノン Q とヒドロキノン H_2Q との等モル混合物)の飽和水溶液に白金または金電極を挿入した電極系,

キンヒドロン, H$^+$ を含む水溶液 | Pt(または Au)

を取上げる.これをキンヒドロン電極という.その平衡電極電位は電極反応,

$$2\mathrm{H}^+(\mathrm{aq}) + \mathrm{Q}(\mathrm{aq}) + 2\mathrm{e}^- \longrightarrow \mathrm{H}_2\mathrm{Q}(\mathrm{aq})$$

に対応して,

$$E_\mathrm{e} = E^\ominus + \frac{RT}{F}\ln a_{\mathrm{H}^+} - \frac{RT}{2F}\ln\frac{a_{\mathrm{H}_2\mathrm{Q}}}{a_\mathrm{Q}}$$

で与えられるが,キノンとヒドロキノンの濃度は相等しいので,十分よい精度でつぎの関係が成立する.

$$E_\mathrm{e} = E^\ominus + \frac{RT}{F}\ln a_{\mathrm{H}^+} = E^\ominus - \frac{2.303\,RT}{F}\mathrm{pH}$$

これは,平衡電極電位の pH 依存性に関して,水素電極に対する式(3・42)と同じ

形をしている．したがって，この電極を用いて溶液の pH を測ることができるが，以上の関係が限られた pH 範囲でしか成立しないなど種々の制約のために現在ではほとんど利用されない．これに類似の酸化還元電極の平衡電極電位の解析がもつ重要性は，ヒドロキノンのような化合物の酸解離平衡の研究に役立つことであるが，その詳細については他の参考書(たとえば巻末の参考書 3)を参照されたい．

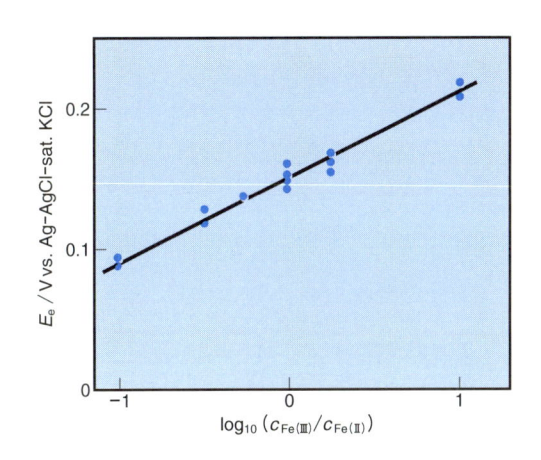

図 3・8　電極系 Fe(II)，Fe(III) | Pt の平衡電極電位と濃度比 $c_{Fe(III)}/c_{Fe(II)}$ との関係(25 ℃)

イオン選択性膜電極

イオン選択性膜電極(ion-selective membrane electrode)の電極電位は，今まで述べてきた電極系の平衡電極電位とは発生の機構が異なるものであるが，結果的にはネルンスト式と同様の関係を示すことが多いので，便宜上ここで簡単に紹介することにする．

組成の異なる電解質溶液(I)および(II)を適当な膜を隔てて接触させて，

電解質溶液(I) | 膜 | 電解質溶液(II)

のような系を作ると，両溶液間に電位差が生ずる．これを一般に**膜電位**(membrane potential)という．最も簡単な例として，

$$\mathrm{M^+A^-}(溶液\,\mathrm{I}, c_1) \mid 膜 \mid \mathrm{M^+A^-}(溶液\,\mathrm{II}, c_2) \qquad (3・51)$$

で表される系において，$\mathrm{M^+}$ イオンだけが選択的に膜を通過できる場合を取上げる．

このような膜を陽イオン選択性膜という．説明は省略するが，(3・51)で表される系における膜電位 E_m は次式で与えられることがわかっている．

$$E_m = \phi^{II} - \phi^{I} = \frac{RT}{F} \ln \frac{a_{(M^+, I)}}{a_{(M^+, II)}}$$

ここで，ϕ^{I} および ϕ^{II} は溶液（I）および（II）の電位，$a_{(M^+, I)}$ および $a_{(M^+, II)}$ はそれぞれ溶液（I）および（II）中における M^+ の活量である．実際には，基準電極 RE を用いて，たとえばつぎのような電池を組立てる．

　　RE ┊ M^+ を含む試料溶液（I）┃陽イオン選択性膜┃M^+ の基準溶液（II）┊ RE

この電池の起電力は次式の関係を満足するはずである．

$$U_{emf} = \text{const.} + \frac{RT}{F} \ln a_{(M^+, I)}$$

したがって，

　　　　　陽イオン選択性膜 ┃ M^+ の基準溶液 ┊ RE

で表される構造をもつ系は，M^+ イオンに対するセンサーとして利用できる．

pH センサーとしてのガラス電極やナトリウムイオン電極などはイオン選択性膜電極の応用の典型的な例である．以下，ガラス電極を用いた pH メーターで試料溶液の pH を測定する方法の原理を述べる．pH メーターは，基準電極とガラス電極から成る電池の起電力を測定することにより，溶液中の水素イオン濃度を測定する装置である．ガラス電極は，図 3・9 に示すように，ガラス管先端部分がガラス薄膜となっており，ガラス管内に一定の濃度の水素イオンを含む塩化カリウム水溶液と銀-塩化銀電極（またはカロメル電極）を封入したものである．

ガラス電極と基準電極（Ag-AgCl-sat. KCl など）を試料溶液 X 中に入れた電池，

　　　　　Ag-AgCl-sat. KCl ┊ 試料溶液 X ┃ ガラス電極

の起電力 $U_{emf(X)}$ と試料溶液中の水素イオン活量の対数は直線関係を示し，ネルンスト式（3・42）と同じ形の関係，

$$U_{emf(X)} = \text{const.} + \frac{2.303\,RT}{F} \log_{10} a_{H^+(X)}$$

$$= \text{const.} - \frac{2.303\,RT}{F} \text{pH}_{(X)}$$

3・4 種々の電極の平衡電極電位   105

を満足する．これは，温度 25 ℃ において 1 pH 当たり 59 mV の起電力変化が得られることを示している．実際には，まず，試料溶液の代わりに，あらかじめ pH

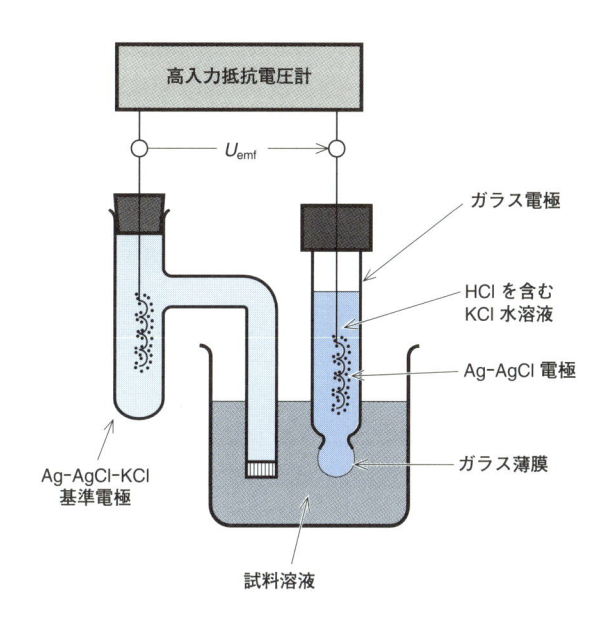

図3・9 ガラス電極を用いる pH メーターの概念図

の値を定義で決めておいた標準溶液を用いて起電力を測定し，その値を $U_{\text{emf(std)}}$ とすると，試料溶液の $\text{pH}_{(X)}$ が次式で与えられる．

$$\text{pH}_{(X)} = \text{pH}_{(\text{std})} + \frac{F}{2.303\,RT}(U_{\text{emf(std)}} - U_{\text{emf(X)}})$$

現在，日本工業規格(JIS)によって pH の一次標準に指定されている緩衝溶液を表3・5 に示す．〔詳細はたとえば参考書 16 (基礎編 II，§10・5・2)を参照されたい．〕

これらの結果は，ガラス電極が水素電極と同じように水素イオンに対して可逆的な電位応答をする性質をもつことを示している．しかし，ガラス電極と水素電極とでは，電位応答の機構が同じではない．ガラス電極の電位応答機構を単純化すると，ガラス薄膜には水素イオンのみを選択的に透過させる性質があり，ガラス電極が示す電位は膜電位に相当するものとして説明されている．しかし，このようなガラス

表 3・5 pH 標準溶液 (JIS 規格) の組成と 25 ℃ における pH

pH(25 ℃)	標準溶液	組　成
1.68	シュウ酸塩標準溶液	0.05 mol dm^{-3} ビス(シュウ酸)三水素カリウム水溶液
4.01	フタル酸塩標準溶液	0.05 mol dm^{-3} フタル酸水素カリウム水溶液
6.86	リン酸塩標準溶液	0.025 mol dm^{-3} リン酸二水素カリウムと 0.025 mol dm^{-3} リン酸水素二ナトリウムの水溶液
9.18	ホウ酸塩標準溶液	0.01 mol dm^{-3} 四ホウ酸ナトリウム十水和物(ホウ砂)水溶液
10.02	炭酸塩標準溶液	0.025 mol dm^{-3} 炭酸水素ナトリウムと 0.025 mol dm^{-3} 炭酸ナトリウムの水溶液

薄膜は，水素イオンそのものが実際に通りやすいわけではなく，ガラス電極の水素イオン応答機構はそれほど単純ではない．このことを反映して，ガラス薄膜の電気抵抗はきわめて高い(10 MΩ 程度)．したがって，起電力測定には，きわめて入力抵抗の高い(100 MΩ 以上)電圧計を用いる必要がある．

コラム 3・4　使い捨て電池(身のまわりで使う電池)

　われわれがいつでも身につけている"電気化学"，それは実用電池である．マンガン乾電池をはじめ，ボタン電池，リチウム電池などスーパーマーケットの店頭でも多数販売されている．これらの電池は，充電によって完全にはもとの状態に戻すことができず，通常使い捨てされるもので，学問的には一次電池とよばれる．

　電池は化学反応に伴うギブズエネルギー変化を電気的な仕事に変換する仕組みで，その原理は1章やこの章でも取上げた．電池は持ち運べる"電気"として便利だが，安価な乾電池でも，通常の電灯線の電気料金に比べて同量の電力が 1000 倍以上も高くつく．

　通常の乾電池(マンガン乾電池)ではどのような反応を利用しているのだろうか．乾電池はおおよそ次ページ図のような構造をしている．⊕極は電気をよく通す炭素棒で，その周辺に黒色の酸化マンガン(Ⅳ)(二酸化マンガン)がある．⊖極は金属の亜鉛板で，⊕極と⊖極の間はゲル状にした塩化アンモニウム水溶液で満たされている．この電池に外部回路をつなぐと，そこを通って⊕極から⊖極に電流が流れる．このとき⊕極では，4価のマンガンが炭素電極から電子を受け取り(還元され)，3価のマンガン(Mn_2O_3)になる．一方⊖極では，金属亜鉛が電子を失い(酸化され)亜鉛イオ

ンとして溶出する．亜鉛内で過剰になった電子が外部回路を通って酸化マンガン(Ⅳ)に移動するときに，外部回路に対して電気的仕事をすることになる．電池内の溶液相では，電気的中性が保たれるようにアンモニウムイオンと塩化物イオンが移動し，それによって電流が流れる．この放電で，電池全体としては，

$$2MnO_2 + Zn + 2NH_4Cl \longrightarrow ZnCl_2 + Mn_2O_3 \cdot H_2O + 2NH_3$$

の電池反応が進み，それに伴うギブズエネルギー変化が電気的仕事の形で取出されるのである．

乾電池の起電力は，両極で起きる電極反応の標準電極電位の差で決まる．マンガン電池では電極系 $Mn_2O_3 | MnO_2$ の 0.98 V vs. SHE と電極系 $Zn^{2+} | Zn$ の-0.76 V vs. SHE とから 1.74 V の起電力が予測されるが，電極近傍の反応物質濃度の影響などから，実際には約 1.5 V の定格電圧が得られる．マンガン乾電池には，単1，単2，単3 など異なる大きさのものが市販されているが，大きさの違いは，反応物質の量の違いを示すもので，大きいものほど全体として多くの電気量(＝電流×時間)を取出せるから，それだけ多くの仕事をさせることができる．また，電池内の電流経路の断面積も大きいことから，大きな電流を取出すうえで優れている．

アルカリマンガン乾電池は，電解液に水酸化カリウム水溶液を用いる高性能乾電池で，⊕極では，

$$MnO_2 + H_2O + e^- \longrightarrow MnOOH + OH^-$$

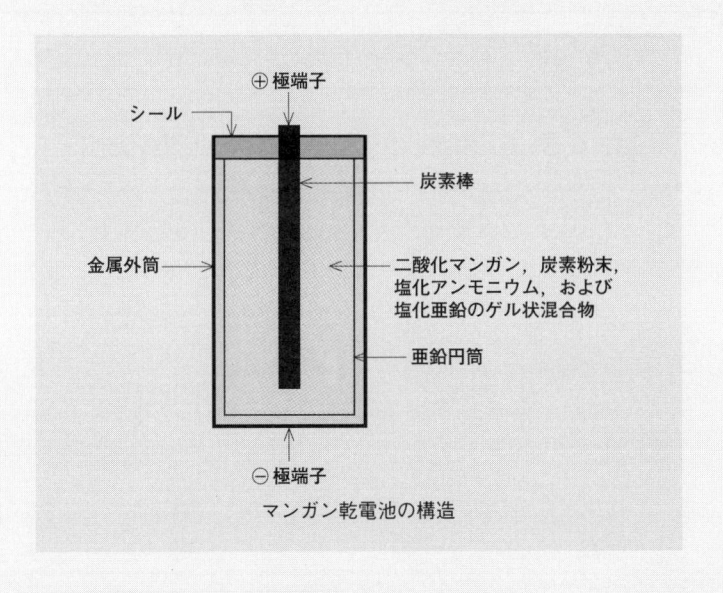

マンガン乾電池の構造

の還元反応が，⊖極では，
$$Zn + 2OH^- \longrightarrow Zn(OH)_2 + 2e^-$$
の酸化反応が進行する．

マンガン乾電池のほか，利用度の高い電池には，腕時計に使われる銀電池や，カメラ用のリチウム電池などがある．銀電池は，電解液に水酸化カリウム水溶液などを使い，⊕極では，
$$Ag_2O + H_2O + 2e^- \longrightarrow 2Ag + 2OH^-$$
の還元反応が，⊖極では，
$$Zn + 2OH^- \longrightarrow Zn(OH)_2 + 2e^-$$
の酸化反応が進行する．小型のボタン型のものが実用的で，定格電圧は 1.55 V である．特長は使用中の電圧がきわめて安定なことであるが，比較的高価である．

リチウム電池は，単位質量当たり取出せるエネルギーが多い高性能の実用電池で，⊖極活物質 (放電時に ⊖ 極で酸化される物質) にリチウムを用いている．⊕極活物質 (放電時に ⊕ 極で還元される物質) には酸化マンガン (IV) またはフッ素が用いられている．金属リチウムが水と直接激しく反応する性質をもつことから，電解液の溶媒にはプロピレンカーボネートなどの非水溶媒を用いる必要がある．$Li^+ | Li$ 系の標準電極電位が負の大きな値をもつことから高い起電力 (定格電圧 3 V) が得られるのも特長の一つである．

コラム 3・5 繰返し使える電池 (蓄電池と燃料電池)

われわれになじみの深い電池には，携帯用の小型電池のほかに，自動車のエンジン始動に用いるバッテリー (鉛蓄電池) がある．これはエンジンの始動時に電力を供給し，走行中にエンジンで回す発電機で得られた電力により充電して繰返し用いることができる．このように充電・放電を繰返しながら使う電池を蓄電池または二次電池という．

鉛蓄電池の ⊕ 極は酸化鉛 (IV) で覆われた鉛，⊖ 極は鉛そのもの，電解液は硫酸水溶液で，⊕ 極での電極反応は，
$$PbO_2 + 4H^+ + SO_4^{2-} + 2e^- \rightleftarrows PbSO_4 + 2H_2O$$
⊖ 極での電極反応は，
$$Pb + SO_4^{2-} \rightleftarrows PbSO_4 + 2e^-$$
である．これらの反応は，いずれも，放電時には右方向，充電時には左方向に進行する．

放電時の反応生成物は ⊕ 極，⊖ 極とも硫酸鉛 (II) で，それが難溶性であることから

電極表面に保持され，充電時にそれを酸化鉛(IV)や金属鉛に戻すことができる．このため充電・放電に伴って硫酸濃度が増減するので，電池内の硫酸濃度(電解液の密度)を測定することにより，充電・放電の度合いを知ることができる．

発電を行うような目的に用いられる電池に燃料電池(fuel cell)がある．燃料電池の代表例は酸素-水素燃料電池である．これは水の電気分解の逆反応を利用するもので，酸素を ⊕ 極での活物質，水素を ⊖ 極での活物質として電池外部から供給すれば電気的仕事を継続的に取出すことができる．電解質溶液にアルカリ性水溶液を用いる酸素-水素燃料電池では，⊕ 極および ⊖ 極では，

$$\oplus 極: \frac{1}{2}O_2 + H_2O + 2e^- \longrightarrow 2OH^-$$

$$\ominus 極: H_2 + 2OH^- \longrightarrow 2H_2O + 2e^-$$

の電極反応が，したがって電池全体としては，

$$H_2 + \frac{1}{2}O_2 \longrightarrow H_2O$$

の電池反応が進行する．すなわち，この電池では水素と酸素から水ができる化学反応のギブズエネルギー変化を，通常の燃焼の場合のように熱にするのではなく，電気的な仕事に変換しているのである．各電極での電極反応が速やかに進行するように，電極には触媒作用をもつ材料(多孔性のニッケルと炭素や白金触媒を組合わせたものなど)を用い，電極と燃料気体および電解質溶液の 3 相が接する界面で反応を進行させる必要がある．白金やニッケルなどを使用するために高価な電力源であり，現在のところ通常の発電には常用されていない．しかし，理論的にエネルギー変換効率が高く，そのうえ公害の原因となる可能性が少ないので近未来の重要な発電技術として注目されている．水素以外に，メタンやメタノール，エタノールなどを燃料とする燃料電池も開発されている．(詳しくは参考書 5 を参照されたい．)

問 題

3・1 つぎの事項について説明せよ．(1) 電池の起電力，(2) 平衡電極電位，(3) 液間電位差．

3・2 金属のイオン化列がもつ物理化学的な意義を述べよ．

3・3 つぎの電池について，電池内部で正電荷を左から右へ移動させたときに各電極で進行する電極反応を示せ．また，ネルンスト式が成立するとして，各電池の 25 ℃ における起電力を求めよ．ただし，反応物質の活量係数はすべて 1 とし，液間電位差は無視する．

(1) Ag｜AgCl｜sat. KCl (aq)｜0.03 mol dm^{-3} AgNO$_3$ (aq)｜Ag
(2) Ag｜AgCl｜sat. KCl (aq)｜0.05 mol dm^{-3} CuSO$_4$ (aq)｜Cu
(3) Cu｜0.006 mol dm^{-3} CuSO$_4$ (aq)｜0.02 mol dm^{-3} Fe$_2$(SO$_4$)$_3$,
　　　　　　　　　　　　　　　　0.0005 mol dm^{-3} FeSO$_4$(aq)｜Pt
(4) Ag｜0.2 mol dm^{-3} AgNO$_3$ (aq)｜0.03 mol dm^{-3} AgNO$_3$ (aq)｜Ag

3・4 ハーンド電池(Harned cell)として知られている電池，
　　　　Ag｜AgCl｜0.2 mol dm^{-3} HCl (aq), H$_2$ (1 atm)｜Pt
において，温度 25 ℃, HCl 濃度 0.2 mol dm^{-3} のときの起電力を算出せよ．ただし，Ag｜AgCl｜Cl$^-$ (aq)系の標準電極電位は 0.222 V(vs. SHE)，活量係数はすべて1と仮定する．

3・5 つぎの電池の標準起電力 $U^\ominus$ からハロゲン化銀 AgX(X はハロゲン)の溶解度積 K_s を求める式を誘導せよ．
$$\text{Pt-Pt｜H}_2\text{｜HX｜AgX｜Ag} \tag{1}$$
$$\text{Pt-Pt｜H}_2\text{｜H}^+,\ \text{Ag}^+\text{｜Ag} \tag{2}$$
25 ℃における電池(1)の $U^\ominus$ は，X が Cl のとき 0.222 V, Br のとき 0.0713 V, I のとき -0.1518 V. また，電池(2)の $U^\ominus$ は 0.7991 V である．これらの値より AgCl, AgBr, AgI の溶解度積を求めよ．

3・6 Fe^{2+} と Fe^{3+} との混合水溶液(濃度比は1)中に少量の Cr^{2+} と Cr^{3+} とを添加したときの Cr^{2+} と Cr^{3+} の平衡濃度比を求めよ．ただし，鉄およびクロム系の標準電極電位(水素電極尺度による)はつぎの通りである．
$$\text{Pt｜Fe}^{2+},\ \text{Fe}^{3+}:\ U^\ominus = 0.771\ \text{V}$$
$$\text{Pt｜Cr}^{2+},\ \text{Cr}^{3+}:\ U^\ominus = -0.41\ \text{V}$$
また，混合水溶液中の鉄イオンの濃度比はクロムイオン添加によって事実上変化しないものとし，さらに各イオンの活量係数は1に等しいと仮定する．

4

電解質溶液の電気伝導性

電解質水溶液が電気伝導性をもつという事実からスウェーデンの物理化学者 S. A. Arrhenius は 20 世紀の初頭に有名な電離説を展開した．以来，電解質溶液中にはイオン解離で生じたカチオンとアニオンとが存在し，電場のもとでそれらが移動することによって電気伝導性が現れることはわれわれの常識となった．この章では，溶液中に含まれているイオンの種類や濃度，それらの移動速度などと溶液の電気伝導性との関係を考察する．電解質溶液の電気伝導率の精密測定や，その結果の理論的解析は，電解質溶液の研究に役立つ基礎的な情報を提供する．また，電池系に含まれている溶液相の電気伝導性をよくすることは,高出力の電源用電池を作ったり，電気分解の能率を高めたりするのに重要な課題である．

4・1 溶液の電気伝導率

一様な組成をもつ電解質溶液の液柱 ab において，その断面に垂直な方向に電流 I を流したとき，ab 間に生じる電位差 U を考える．電解質溶液の電気伝導性は，通常の抵抗体に関するオームの法則に従うものとすると，U が

$$U = IR = \frac{I\rho l}{S} \qquad (4・1)$$

で与えられる(図 4・1)．ここで，R は液柱の電気抵抗，l は ab 間の距離，S は液柱の断面積，ρ は溶液の抵抗率(resistivity)である．溶液の電気伝導性を表すには抵抗率の逆数である**伝導率**(conductivity) κ が用いられる．

$$\kappa = \frac{1}{\rho} = \frac{1}{R}\frac{l}{S} \qquad (4・2)$$

4. 電解質溶液の電気伝導性

抵抗率の SI 単位は $\Omega\ \mathrm{m}$,伝導率の SI 単位は $\mathrm{S\ m^{-1}}$(S はコンダクタンスの SI 単位で Ω^{-1} に等しく,ジーメンスという)である.

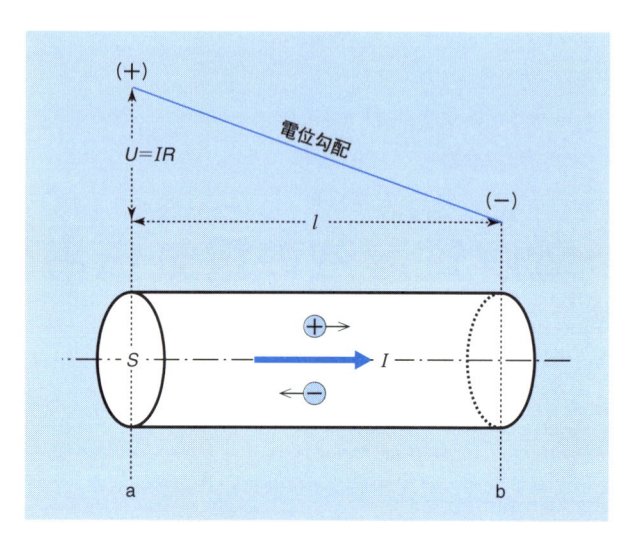

図 4・1 溶液の電気伝導性とオームの法則

　電解質溶液中で電荷を運ぶのは,溶液中に溶けているイオンである.したがって,電解質溶液の伝導率は,溶液中に存在するすべてのイオンの移動速度および濃度で決まる.電位勾配下におけるイオンの移動速度が速いほど,またイオンの濃度が高いほど伝導率が大きくなるであろう.式の誘導は省略するが,溶液中に存在するイオンの移動によって運ばれる電荷を計算すると,溶液の伝導率に対してつぎの関係が導かれる(参考書 3 を参照).

$$\kappa = \Sigma\,|z_i|\,Fc_i u_i \tag{4・3}$$

ここで,F はファラデー定数,z_i はイオン i の電荷数(カチオンでは $z_i>0$,アニオンでは $z_i<0$),c_i は濃度,また u_i はイオン i の**移動度**(ionic mobility)とよばれる量で,その数値は単位電位勾配のもとにおけるイオンの移動速度に等しい.移動度の SI 単位は $(\mathrm{m\ s^{-1}})/(\mathrm{V\ m^{-1}})$ すなわち $\mathrm{m^2\ s^{-1}\ V^{-1}}$ である.また,(4・3)式の右辺における Σ は,問題の溶液中に含まれているすべてのイオンについて $|z_i|\,Fc_i u_i$ なる項の和をとることを意味する.(4・3)式から明らかなように,溶液の伝導率は,

4・1 溶液の電気伝導率

溶液中に溶けているすべてのイオンの濃度を反映する量である．この性質は，伝導率を測定して河川水などに含まれているイオンの量や，蒸留水の純度などを調べるのに利用されている．

イオン i の移動度に電荷数の絶対値とファラデー定数とを掛けたものを，i の**イオン伝導率**(ionic conductivity)または i の**モル伝導率**(molar conductivity)といい，記号で λ_i で表す．

$$\lambda_i = |z_i| F u_i \tag{4・4}$$

コラム 4・1 イオンの輸率

電解質溶液中を流れる電流，すなわち電解質溶液中における電荷の移動には，溶液中に溶けているすべてのイオンが関与している．ある溶液中をある量の電荷が移動するとき，注目するイオン i によって全電荷の何割が運ばれるかを示す量をイオンの輸率 (transference number, transport number) t_i といい，次式で与えられる．

$$t_i = \frac{|z_i| c_i u_i}{\Sigma |z_i| c_i u_i} = \frac{c_i \lambda_i}{\Sigma c_i \lambda_i}$$

ここで，z_i はイオン i の電荷数，c_i は物質量濃度，u_i は移動度，λ_i はモル伝導率である．輸率は実験的に測定できる量である．

この関係から明らかなように，イオン i の輸率は，電荷数の絶対値および移動度が大きく，濃度が高いほど増大する．また，イオンの輸率は個々のイオンに固有な量ではなく，溶液中に共存する他のイオンの種類や濃度で変化する相対的な量である．

最も簡単な場合として，1 種類の 1 価-1 価型電解質だけを含む溶液中におけるカチオンおよびアニオンの輸率 t_+ および t_- については，それぞれ，次式が成立する．

$$t_+ = \frac{\lambda_+}{\lambda_+ + \lambda_-} \qquad t_- = \frac{\lambda_-}{\lambda_+ + \lambda_-}$$

完全解離する 1 価-1 価型電解質のモル伝導率 Λ は，

$$\Lambda = \lambda_+ + \lambda_-$$

で与えられるから，電解質のモル伝導率 Λ と輸率 t_+ または t_- を測定すれば，カチオンおよびアニオンのモル伝導率 λ_+ および λ_- を求めることができる．（詳しくは参考書 3 を参照されたい．）

イオン伝導率を使うと,溶液の伝導率が次式で与えられる.

$$\kappa = \Sigma c_i \lambda_i \qquad (4\cdot5)$$

モル(イオン)伝導率の SI 単位は$(S\ m^{-1})/(mol\ m^{-3})$すなわち $S\ m^2\ mol^{-1}$ であるが,普通は $S\ cm^2\ mol^{-1}$ で表すことが多い($1\ S\ m^2\ mol^{-1}=10^4\ S\ cm^2\ mol^{-1}$).

溶質 B を溶媒 A に溶かした溶液の伝導率 κ は,溶質成分による伝導率 κ_B と溶媒成分による伝導率 κ_A との和に等しい.

$$\kappa = \kappa_B + \kappa_A \qquad (4\cdot6)$$

水溶液の場合,十分に精製した水を溶媒に使えば,κ_A の寄与は多くの場合無視できる程度であるが,特に精度の高い測定では,水そのものの伝導率 κ_A を測定して,それを溶液の伝導率 κ から差し引かなければならない(p. 117 のコラム 4・2 参照).

$$\kappa_B = \kappa - \kappa_A \qquad (4\cdot7)$$

電気伝導率の測定

溶液の電気伝導率測定の基本原理は,一対の電極を備えた容器[図 4・2(a)]中に試料溶液を満たして,電極間にかけた電圧 U と溶液中を流れる電流 I とからオームの法則(4・1)式により,電気抵抗 $R(=U/I)$ またはその逆数のコンダクタンス G ($=I/U$)を求めることである.測定回路の概念図を図 4・2(b)に示す.精密な測定には,図 4・2(c)のようなブリッジ回路を構成し,ブリッジの一辺の既知抵抗 R_3 との比較によって試料の抵抗値 R_X を求める方法がよく用いられる.抵抗 R_3 を調節して信号検出器がゼロを指すようにすれば,そのとき $R_X = R_2 R_3/R_1$ の関係が成立する.ブリッジの電源に直流信号を用いる測定では,溶液の抵抗を正確に測ることはできない.そのおもな理由は,溶液中に挿入した電極間に電流を流す際に,電極反応の進行に基づく電気抵抗が電極/溶液界面に発生するためにオームの法則が見かけ上成り立たなくなり,さらに,電極反応が一方向に進行するために電極近傍の溶液組成が変化して,それが溶液のコンダクタンスに影響を及ぼすからである.ドイツの物理学者 R. H. A. Kohlrausch は電源に可聴周波数(数百〜数千 Hz)の交流信号を使うことによってこの問題を解決し,溶液の伝導率の正確な測定を可能にした.測定に交流(1 kHz 程度)を用いると,電極/溶液界面の電気二重層(§2・3 参照)の電気的性質のために界面の抵抗の影響を無視できるようになる(p. 118 のコラム 4・3 参照).そのうえ,電極反応の進行方向が交流の周期に応じて逆転する

4・1 溶液の電気伝導率　　　115

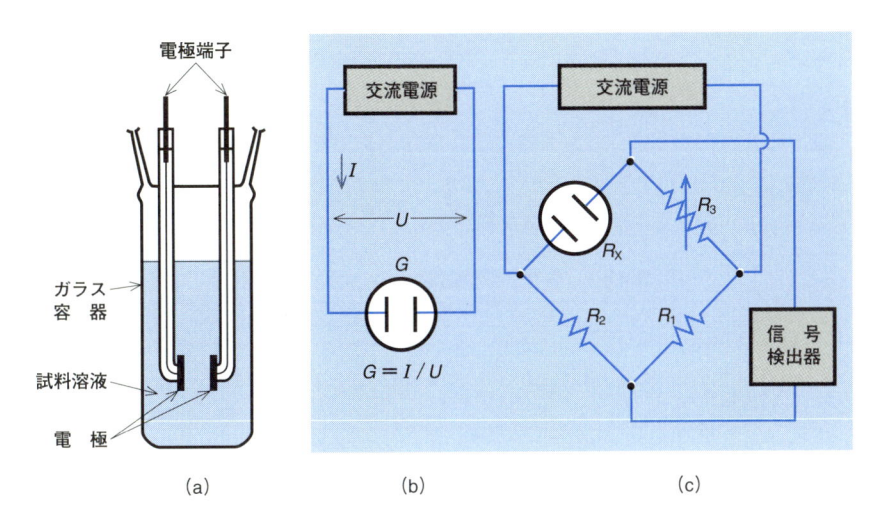

図 4・2　溶液の電気伝導率測定法．(a) 一対の電極を備えた容器(2電極セル), (b) 簡単な伝導率測定回路の概念図, (c) コールラウシュブリッジ回路の原理図

可能性があるので，電極近傍の溶液組成の変化が起こりにくい．この種のブリッジはコールラウシュブリッジ(Kohlrausch bridge)とよばれている．

　溶液の電気伝導性を論じるためには，コンダクタンスの実測値から，単位断面積，単位長さ当たりについての値，すなわち電気伝導率(電導率あるいは導電率と記す場合もある)を求める必要がある．溶液の抵抗またはコンダクタンスをコールラウシュブリッジで測定するには，表面を白金黒で覆った一対の白金電極をもつ容器〔図 4・2(a)〕を用いるが，このような容器では，コンダクタンスの実測値に関係している溶液の幾何学的形状〔(4・1)式における l と S〕を特定するのは困難である．そこで，まず伝導率 κ_S が既知の電解質溶液 S (標準溶液)を容器中に入れたときの抵抗 R_S を，つぎに試料溶液 X を入れたときの抵抗 R_X を測定すれば，(4・2)式の関係より試料溶液の伝導率 κ_X が次式で与えられる．

$$\frac{R_S}{R_X} = \frac{\kappa_X}{\kappa_S} \quad \text{または} \quad \kappa_X = \frac{K_{cell}}{R_X}$$

ただし，

$$K_{cell} = \kappa_S R_S$$

K_{cell} は個々の容器の形状で決まる定数で，これを**セル定数**(cell constant)という．

標準溶液でセル定数をあらかじめ求めておけば，試料溶液の抵抗から容易に伝導率が求められる．この目的に用いられる代表的な標準溶液の組成と伝導率を表 4・1 に示す．

さきに述べたように，コールラウシュブリッジ法では一対の電極をもつ 2 電極型容器〔図 4・2(a)〕を使用するが，図 4・3(a)のように 4 個の電極を備えた 4 電極型容器を用いる方法にはさまざまな利点がある．4 電極型容器では，両端の一対の

表 4・1 伝導率測定用標準溶液の組成と伝導率

溶液組成[a]（真空中秤量）	$\kappa\,/\mathrm{S\,m^{-1}}$		
	0 ℃	18 ℃	25 ℃
76.5829 g	6.5144	9.782	11.132
7.47458 g	0.7143	1.1164	1.2853
0.745 g	0.07733	0.12202	0.14085

a) H_2O 1 kg 中に溶かした KCl の質量

電極（通電用電極，E_1, E_2）間に既知の電流 I を流し，内側の一対の電位差検出用電極（P_1, P_2）間に生じる電位差 U を測定することによって，図中に斜線で示した溶液部分の抵抗 R がオームの法則から求められる〔図 4・3(b)〕．この場合は，セル定数が斜線部分周囲のガラス容器の形状で決まるので，電位差検出用電極の先端を特に注意して固定する必要がなく，容器の作製や使用上好都合である．また，通電用

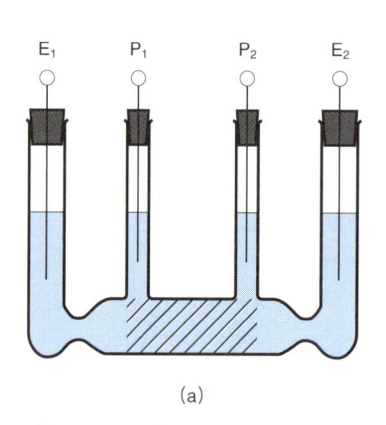

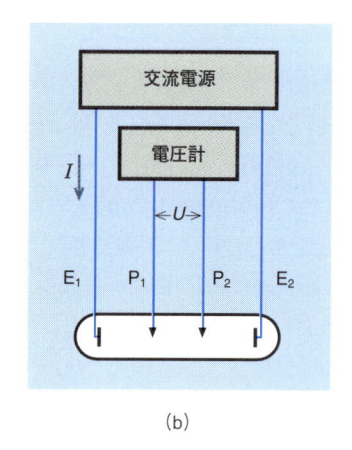

図 4・3 4 電極セルを用いる伝導率測定法．(a) 4 電極セルの一例，(b) 測定回路原理図．E_1, E_2：通電用電極，P_1, P_2：電位差検出用電極

電極に電流を流すことによる溶液組成の変化は通電用電極の近傍だけに限定され，その影響が電位差検出用電極間の溶液に及ぶことは少ない．さらに，電位差 U を測定するために電位差検出用電極間に流す必要がある電流は通常きわめてわずかで済むから，それが溶液組成に及ぼす影響は無視して差し支えなく，したがって，これらの電極の材料をかなり自由に選ぶことができる．実際の測定回路例については，たとえば参考書 3 および 8 を参照されたい．

どのような方法を用いる場合でも，伝導率を正確に測定するには，試料溶液を入れた容器の温度制御が重要である．通常の電解質水溶液の伝導率は 1℃ 当たり約 2％ 程度変化する．したがって，0.1％ より高い精度で伝導率を求めるためには，±0.01℃ 程度の温度制御性能をもつ恒温槽内に容器を浸して測定を行う必要がある．

コラム 4・2　純水の電気伝導率

19 世紀の末，純粋な水の電気伝導率を求めるために，Kohlrausch らは多大な努力を払ってきわめて綿密な測定を行った．すなわち，石英の蒸留フラスコをいくつも直列に連結して，一度仕込んだ水を二度と大気に触れさせることなく何段もの蒸留を連続的に行った後，その伝導率を測るという実験を繰返して次表のような結果を報告している．

温度/℃	−2	0	2	4	10	18	26	34	50
$\kappa / 10^{-6}\,\mathrm{S\,m^{-1}}$	1.32	1.49	1.69	1.90	2.68	4.15	6.30	9.05	17.8

ちなみに，水のイオン積〔K_w(25℃)$=1.0\times10^{-14}$ $(\mathrm{mol\,dm^{-3}})^2$〕と H^+ および OH^- のモル伝導率とから水の伝導率を試算すると，25℃ で約 $5.5\times10^{-6}\,\mathrm{S\,m^{-1}}$ となる．Kohlrausch らが得た水の伝導率はこの理論値よりもわずかに高いわけであるが，種々の技術が進歩した今日，この差を縮めることが果たしてできるのであろうか．

なお，特に空気を遮断せずに保存してある普通の蒸留水は空気中の二酸化炭素を溶かし込んでいるので，その伝導率は $10^{-5}\,\mathrm{S\,m^{-1}}$ 以上になる．伝導率が室温で $10^{-5}\,\mathrm{S\,m^{-1}}$ 以下の水を使うには，イオン交換樹脂による精製および硬質ガラスまたは石英の蒸留器による再蒸留によって得られた水を窒素やアルゴンのような不活性気体の雰囲気中に保管しておく必要がある．

コラム 4・3　2電極セルの電気的等価回路

図 4・2(a)に示した 2 電極セルの電気的性質は，下図のように，溶液の抵抗 R_{soln} と左右の電極/溶液界面におけるインピーダンス Z_e, Z_e' とが直列につながった等価回路で表される．このときセルの全インピーダンス Z_{cell} は，

$$Z_{cell} = Z_e + R_{soln} + Z_e'$$

で与えられる．インピーダンスというのは，交流電流の流れにくさを表す量(交流における電圧と電流との比)で，直流における抵抗に相当するものである．

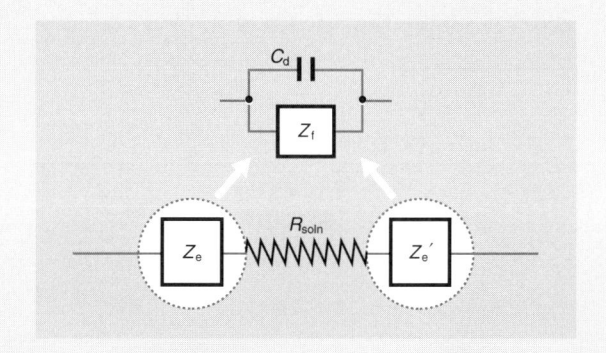

2 電極セルで実際に測定されるのはセルの全インピーダンス Z_{cell} であって，溶液の抵抗 R_{soln} そのものではない．しかし，電極面のインピーダンス Z_e, Z_e' が十分に小さければ，Z_{cell} の実測値を事実上 R_{soln} に等しいとすることができる．したがって，2 電極セルによる測定ではこの条件を満足させることが必要になる．

電極/溶液界面の電気二重層や電極反応の研究によって，電極/溶液界面のインピーダンスは，電極反応に基づくインピーダンス Z_f(これをファラデーインピーダンスという)と電気二重層容量 C_d との並列回路で表されることがわかっている(図参照)．ファラデーインピーダンスは，電極反応の速度の関数で，反応が起こっていないときは無限大であるが，反応速度が大きくなるほど，また周波数が高いほど減少する性質をもっている．したがって，電極面のインピーダンスを小さくするには，十分に速い反応が起こるような電極系を選び，なるべく高い周波数で測定すればよいことがわかる．水溶液の測定において，電極に磨いた白金ではなく白金黒付き白金を用いるのは，電極の表面積を増やし，C_d を増やして界面のインピーダンスを低下させ，また，電極反応ができるだけ速やかに進むようにするためである．

4・2 電解質の伝導率と濃度

電解質のモル伝導率

溶液中の電解質の伝導率は,電解質の濃度で変化する.一例として,水溶液(25℃)中における塩化ナトリウムの伝導率と溶液の濃度との関係を図4・4の曲線(a)に示す.この図から明らかなように,NaClの伝導率 κ_{NaCl} は濃度 c_{NaCl} にほぼ比例して増大するが,両者の関係は厳密に直線とはいえない.このことは,κ_{NaCl} を c_{NaCl} で割った量を濃度に対してプロットするとさらにはっきりする〔図4・4(b)〕.酢酸のような弱電解質の水溶液の場合には,伝導率と濃度との比例関係からのずれがさらに著しい(図4・5).

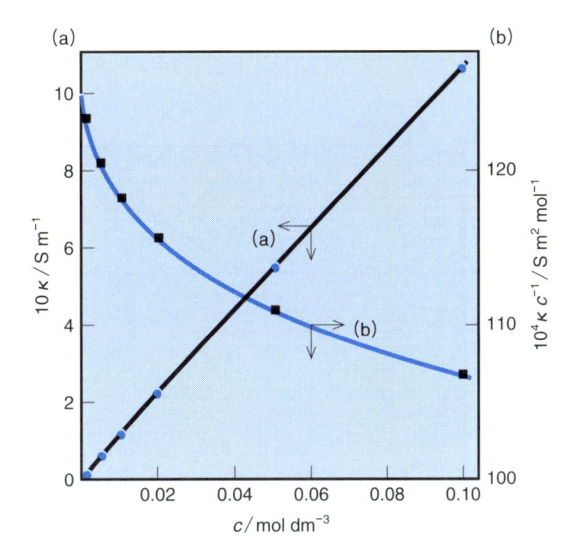

図4・4 水溶液(25℃)中における塩化ナトリウムの伝導率 κ と濃度 c との関係.(a) κ vs. c プロット,(b) κ/c vs. c プロット

溶液中の電解質 B について,その濃度が c_B,伝導率が κ_B であるとき,κ_B を c_B で割った量を,この溶液中における電解質 B のモル伝導率と定義し,記号 Λ_B で表す.

$$\Lambda_B = \frac{\kappa_B}{c_B} \tag{4・8}$$

4. 電解質溶液の電気伝導性

電解質のモル伝導率の SI 単位はイオンの場合と同じく $S\,m^2\,mol^{-1}$ である.

電解質 B についての濃度が c_B である溶液において, 溶液中に存在するカチオンの濃度およびモル伝導率を c_+ および λ_+, またアニオンの濃度およびモル伝導率を c_- および λ_- とすると, この溶液の伝導率に対してつぎの関係が成立する〔(4・5)式参照〕.

$$\kappa_B = c_+\lambda_+ + c_-\lambda_- \qquad (4\cdot 9)$$

したがって, この溶液中における B のモル伝導率は,

$$\Lambda_B = \frac{\kappa_B}{c_B} = \left(\frac{c_+}{c_B}\right)\lambda_+ + \left(\frac{c_-}{c_B}\right)\lambda_- \qquad (4\cdot 10)$$

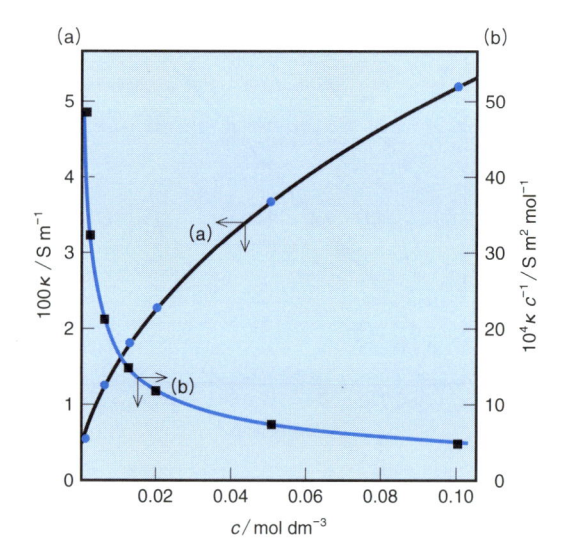

で与えられる.

図 4・5 水溶液(25 ℃)中における酢酸の伝導率 κ と濃度 c との関係. (a) κ vs. c プロット, (b) κ/c vs. c プロット

図 4・4 および図 4・5 から明らかなように, 電解質 B のモル伝導率は, 一般に, B の濃度が高くなるにつれて減少する. その傾向は弱電解質で特に著しい. (4・10)式の関係は, Λ_B の濃度変化が性質の異なる 2 種類の項で支配されることを示している. その一つは λ_+ および λ_- によるもので, もう一つは c_+/c_B および c_-/c_B

に関するものである.つぎに述べるように,電解質 B が完全解離型である場合には第一の項の影響が,不完全解離型である場合には第二の項の影響が主要な役割を演ずる.

完全解離型電解質のモル伝導率

電荷数が z_+ のカチオン M の ν_+ 個と電荷数が z_- のアニオン A の ν_- 個とからできている電解質 B の溶液を取上げる.電解質 B は電気的に中性であるからつぎの条件を満足していなければならない.

$$z_+ \nu_+ = |z_-| \nu_-$$

B が完全解離する場合には,電解質濃度が c_B の溶液中に存在するカチオンおよびアニオンの濃度,c_+ および c_-,がそれぞれ次式で与えられる.

$$c_+ = \nu_+ c_B \qquad c_- = \nu_- c_B$$

したがって,この溶液中における B の伝導率 κ_B およびモル伝導率 Λ_B はそれぞれつぎのようになる.

$$\kappa_B = (\nu_+ \lambda_+ + \nu_- \lambda_-) c_B = z_+ \nu_+ c_B \left(\frac{\lambda_+}{z_+} + \frac{\lambda_-}{|z_-|} \right) \quad (4 \cdot 11)$$

$$\Lambda_B = \frac{\kappa_B}{c_B} = \nu_+ \lambda_+ + \nu_- \lambda_- \quad (4 \cdot 12)$$

いくつかの電解質を例にとって,それらの伝導率とモル伝導率との対応を表 4・2 に示す.

イオンのモル伝導率 λ_+ および λ_- はそれぞれカチオンおよびアニオンの移動度に比例する量である〔(4・4)式参照〕.したがって,完全解離型電解質のモル伝導率と濃度との関係はカチオンおよびアニオンの移動度の濃度依存性で決まることがわかる.図 4・4(b) に示した塩化ナトリウムのモル伝導率の濃度変化は,この典

表4・2 代表的な電解質 B の伝導率 κ_B とモル伝導率 Λ_B との対応

電解質 B	z_+	z_-	ν_+	ν_-	伝導率 κ_B	モル伝導率 Λ_B
NaCl	1	-1	1	1	$c_B(\lambda_+ + \lambda_-)$	$\lambda_+ + \lambda_-$
CaCl$_2$	2	-1	1	2	$2c_B\{(\lambda_+/2) + (\lambda_-)\}$	$\lambda_+ + 2\lambda_-$
Na$_2$SO$_4$	1	-2	2	1	$2c_B\{(\lambda_+) + (\lambda_-/2)\}$	$2\lambda_+ + \lambda_-$
LaCl$_3$	3	-1	1	3	$3c_B\{(\lambda_+/3) + (\lambda_-)\}$	$\lambda_+ + 3\lambda_-$
K$_3$[Fe(CN)$_6$]	1	-3	3	1	$3c_B\{(\lambda_+) + (\lambda_-/3)\}$	$3\lambda_+ + \lambda_-$
Al$_2$(SO$_4$)$_3$	3	-2	2	3	$6c_B\{(\lambda_+/3) + (\lambda_-/2)\}$	$2\lambda_+ + 3\lambda_-$

型例である．

無限希釈におけるモル伝導率とイオン独立移動の法則

20 世紀の初頭，Kohlrausch は完全解離型電解質 B のモル伝導率と濃度の平方根との間には直線関係が成立することを実験的に見いだして，つぎの経験式を提出した．

$$\Lambda_B = \Lambda_B^\infty - A_B\sqrt{c_B} \qquad (4\cdot13)$$

これは，モル伝導率に関する**コールラウシュの経験式**とよばれている．ここで，A_B は定数，Λ_B^∞ は Λ_B を $\sqrt{c_B}$ に対してプロットした直線を濃度ゼロに補外した値で，これを無限希釈における B のモル伝導率という．Λ_B^∞ の値は，伝導率 κ_B を濃度 c_B に対してプロットした曲線の原点における傾きに等しい．

$$\Lambda_B^\infty = \lim_{c_B\to 0}\Lambda_B = \lim_{c_B\to 0}\left(\frac{\kappa_B}{c_B}\right) \qquad (4\cdot14)$$

図 4・6 中の曲線(a)は水溶液中における塩化ナトリウムのモル伝導率を濃度の平方根に対してプロットしたもので，濃度が十分低い領域ではコールラウシュの経

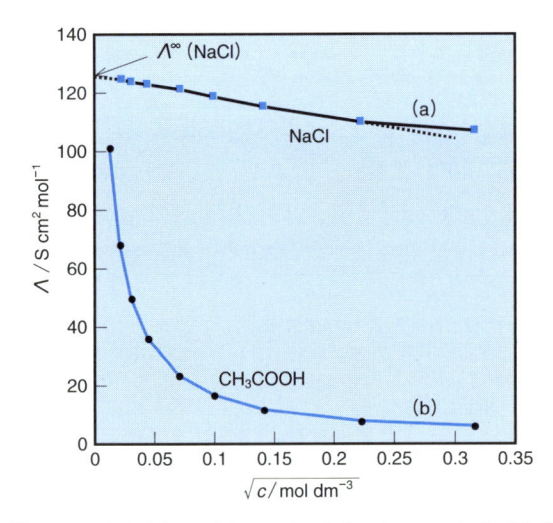

図4・6　水溶液(25℃)中における塩化ナトリウムおよび酢酸のモル伝導率と濃度の平方根との関係

表4・3 水溶液(25 ℃)中のイオンの無限希釈におけるモル伝導率 λ^∞ 〔おもに R. A. Robinson, R. H. Stokes, "Electrolyte Solutions", Butterworths, London (1965)による〕[a]

イオン[b]	$\lambda^\infty/\mathrm{S\ cm^2\ mol^{-1}}$	イオン	$\lambda^\infty/\mathrm{S\ cm^2\ mol^{-1}}$
H^+	349.8_1	$\frac{1}{3}[Cr(H_2O)_6]^{3+}$	67
Li^+	38.6_8	$\frac{1}{3}[Cr(NH_3)_6]^{3+}$	123.4
Na^+	50.10	OH^-	198.3
K^+	73.50	F^-	55.4
Rb^+	77.8_1	Cl^-	76.35
Cs^+	77.2_6	Br^-	78.14
Ag^+	61.9_0	I^-	76.8_4
Tl^+	74.7	N_3^-	69
NH_4^+	73.5_5	NO_3^-	71.46
$(CH_3)_4N^+$	44.9_2	ClO_3^-	64.6
$(C_2H_5)_4N^+$	32.6_6	BrO_3^-	55.7_4
$(C_3H_7)_4N^+$	23.4_2	IO_3^-	40.5_4
$(C_4H_9)_4N^+$	19.4_7	ClO_4^-	67.3_6
$(C_5H_{11})_4N^+$	17.4_7	IO_4^-	54.5_5
$\frac{1}{2}Be^{2+}$	45	MnO_4^-	61.5
$\frac{1}{2}Mg^{2+}$	53.0_5	HCO_3^-	44.5_0
$\frac{1}{2}Ca^{2+}$	59.50	ギ酸イオン	54.5_9
$\frac{1}{2}Sr^{2+}$	59.4_5	酢酸イオン	40.9_0
$\frac{1}{2}Ba^{2+}$	63.6_3	プロピオン酸イオン	35.8
$\frac{1}{2}Cu^{2+}$	53.6	安息香酸イオン	32.3_8
$\frac{1}{2}Zn^{2+}$	52.8	$\frac{1}{2}SO_4^{2-}$	80.0_2
$\frac{1}{2}Co^{2+}$	55	$\frac{1}{2}C_2O_4^{2-}$	74.1_5
$\frac{1}{2}Pb^{2+}$	69.5	$\frac{1}{2}CO_3^{2-}$	69.3
$\frac{1}{3}La^{3+}$	69.7	$\frac{1}{3}[Fe(CN)_6]^{3-}$	100.9
$\frac{1}{3}Ce^{3+}$	69.8	$\frac{1}{3}[Co(CN)_6]^{3-}$	98.9
$\frac{1}{3}Eu^{3+}$	67.8	$\frac{1}{3}P_4O_{12}^{3-}$	93.7
$\frac{1}{3}[Co(NH_3)_6]^{3+}$	101.9	$\frac{1}{3}P_3O_9^{3-}$	83.6
$\frac{1}{3}[Co(en)_3]^{3+}$	74.7	$\frac{1}{4}[Fe(CN)_6]^{4-}$	110.5
$\frac{1}{3}[Co(pn)_3]^{3+}$	65.1	$\frac{1}{4}P_2O_7^{4-}$	95.9
		$\frac{1}{5}P_3O_{10}^{5-}$	109

a) さらに多くのデータについては, 日本化学会 編, "改訂3版 化学便覧 基礎編Ⅱ", 表12・12〜表12・15, 丸善(1984)および "改訂4版 化学便覧 基礎編Ⅱ", 表12・10, 丸善(1993)を参照.
b) en: エチレンジアミン, pn: プロピレンジアミン

験式がよく成立していることを示している．このような場合には，無限希釈におけるモル伝導率をグラフ上の補外によって正確に決めることができる．これに対して，水溶液中の酢酸の場合には，図 4·6 の曲線(b)からわかるように，少なくとも測定可能な濃度範囲ではコールラウシュの経験式が成立しない．したがって，酢酸のような弱電解質では，コールラウシュの経験式に従ってモル伝導率の測定値から無限希釈における値を求めることはできない．

無限希釈という理想的な状態では，イオン同士は互いに無限に離れているから，イオン間には何の相互作用も働かないと考えられる．したがって，個々のイオンは他のイオンからの影響を受けることなく，それぞれに固有な速度で移動できるはずである．また，このような状態ではあらゆる電解質が完全解離すると考えてよい．したがって，問題の電解質 B が完全解離型か不完全解離型かには無関係につぎの関係が成立するであろう．

$$\Lambda^\infty = \nu_+ \lambda_+^\infty + \nu_- \lambda_-^\infty \tag{4·15}$$

ここで，λ_+^∞ および λ_-^∞ はカチオンおよびアニオンの無限希釈状態におけるモル伝導率で，各イオンに固有な量である．表 4·3 は 25 ℃ の水溶液中における種々のイオンの無限希釈状態におけるモル伝導率をまとめたものである．

(4·15)式で表される関係は Kohlrausch が初めて提唱したもので，**コールラウシュのイオン独立移動の法則**として知られている．この法則によれば，たとえば塩化カリウムおよび塩化ナトリウム水溶液中の塩化物イオンの移動度は，無限希釈状態では等しいはずである．1940 年代に行われた綿密な実験結果の一例は表 4·4

表 4·4 塩化カリウムおよび塩化ナトリウムの無限希釈水溶液中における塩化物イオンの移動度 $u^\infty(\text{Cl}^-)$

温度/℃	$10^4 u^\infty(\text{Cl}^-)/\text{cm}^2\,\text{s}^{-1}\,\text{V}^{-1}$	
	KCl	NaCl
15	6.365	6.367
25	7.913	7.913
35	9.557	9.553
45	11.289	11.285

に示す通りで，コールラウシュの法則が実験誤差(0.04 % 程度)以内の精度で成立することが証明されている．そこで，種々のイオンの無限希釈におけるモル伝導率

4・2 電解質の伝導率と濃度

λ^∞ がわかっていれば,(4・15)式の関係を用いて任意の電解質の無限希釈におけるモル伝導率 Λ^∞ を正確に推定することができる.たとえば 25 ℃ の水溶液中における酢酸のモル伝導率 $\Lambda^\infty(CH_3COOH)$ は,水素イオンおよび酢酸イオンのモル伝導率,$\lambda^\infty(H^+)$ および $\lambda^\infty(CH_3COO^-)$,を使ってつぎのように求められる(表 4・3 参照).

$$\begin{aligned}\Lambda^\infty(CH_3COOH) &= \lambda^\infty(H^+) + \lambda^\infty(CH_3COO^-) \\ &= (349.8 + 40.9)\ S\ cm^2\ mol^{-1} \\ &= 390.7\ S\ cm^2\ mol^{-1}\end{aligned}$$

ここで,無限希釈溶液中でのイオンのモル伝導率 λ^∞ の内容を検討してみよう.λ^∞ は無限希釈状態におけるイオンの移動度 u^∞,すなわち電場の下における移動速度に比例する〔(4・4)式参照〕.ところで,イオンの定常的な移動速度は,そのイオンを移動させようとする駆動力と,その移動を妨げようとする抵抗力との釣合い条件で決まる.無限希釈溶液中での駆動力の大きさは外部から加えている電場の強さとイオンの電荷に,また,抵抗力はイオンの大きさ,形,および媒質の粘性率に依存する.イオン i を有効半径が r_i の剛体球とみなし,イオン i は溶媒分子よりもある程度以上大きいと仮定して前記の釣合い条件を解析すると,無限希釈におけるイオン i の移動度 u_i^∞ に対してつぎの関係が導かれる.

$$u_i^\infty = \frac{|z_i|\,e}{a\eta r_i} \tag{4・16}$$

ここで,e は電気素量,η は媒質の粘性率,a は移動する粒子と媒質との相対的な運動の種類で決まる係数で,通常 6π と 4π の中間の値をとる.

(4・16)式の関係は,移動度 u_i^∞ の測定からイオンの有効半径 r_i を推定するのに利用される.このようにして求めた r_i は,結晶中のイオンの半径ではなく,溶媒和したイオンの半径に相当する.$a = 6\pi$ とおいて求めた半径を**ストークス半径**という.また,媒質の種類や温度を変えることで粘性率が変化しても係数 a や有効半径 r_i が変化しなければ,移動度と粘性率の積はイオンに固有な一定値になるはずである.

$$u_i^\infty \eta = 一定$$

これを**ワルデンの規則**(Walden's rule)といい,たとえば水溶液中の移動度 u_i^∞ を使って,粘性率が異なるほかの溶媒中における移動度を推定するような場合に利用

される.しかし,この規則は常によい精度で成立するとは限らないので,このようにして推定した値は概算値とみなさなければならない.

不完全解離型電解質のモル伝導率

これまでは,溶液中で完全解離する電解質をおもな対象にしてきたが,ここでは不完全解離型電解質の場合を取上げる.簡単のために対称型弱電解質 B($\nu_+ = \nu_- = 1$, $z_+ = |z_-|$)の溶液において,

$$\underset{(1-\alpha)c_B}{B} \rightleftharpoons \underset{\alpha c_B}{M} + \underset{\alpha c_B}{A} \tag{4・17}$$

で表される解離平衡が成立している場合を考えよう.ここで,α は電解質の濃度が c_B のときの解離度である.この溶液における B の伝導率およびモル伝導率は,(4・10)式および(4・17)式より,それぞれ次式で与えられる.

$$\kappa_B = (\alpha \lambda_+ + \alpha \lambda_-)c_B \tag{4・18}$$

$$\Lambda_B = \frac{\kappa_B}{c_B} = \alpha(\lambda_+ + \lambda_-) \tag{4・19}$$

したがって,不完全解離型電解質のモル伝導率はカチオンおよびアニオンの移動度とともに,その条件下における電解質の解離度によって決まることがわかる.

対称型弱電解質 B のモル伝導率に対する(4・19)式の両辺を無限希釈におけるモル伝導率で割るとつぎの関係が導かれる.

$$\frac{\Lambda_B}{\Lambda_B^\infty} = \alpha \left(\frac{\lambda_+ + \lambda_-}{\lambda_+^\infty + \lambda_-^\infty} \right) \tag{4・20}$$

上式右辺の( )内の項は,§4・3で述べるイオン間の静電相互作用による移動度の変化に関するものである.弱電解質では,この項を近似的に 1 に等しいとおけることが多い.それは,通常の濃度範囲では解離度が小さいので,溶液中に存在するイオンの濃度が低いからである〔オンサーガーの理論式(p.131)を参照〕.したがって対称型弱電解質では,

$$\frac{\Lambda_B}{\Lambda_B^\infty} = \alpha \tag{4・21}$$

の関係が十分な精度で成立する.この関係は,弱電解質の解離に関する古典的な**ア**

レニウスの法則にほかならない．図 4・5(b) に示した水溶液中の酢酸のモル伝導率は(4・21)式に従う典型的な例である．このような場合には，伝導率の測定から

表 4・5 濃度 c の水溶液(25 ℃)中の酢酸のモル伝導率 Λ の測定値から求めた解離度 α および解離定数 K 〔$K= \alpha^2 c/(1-\alpha)$〕

c/mol dm^{-3}	Λ/S cm^2 mol^{-1}	α	$10^5 K$/mol dm^{-3}
0	390.71	—	—
0.0002	101	0.259	1.80
0.0005	67.8	0.174	1.82
0.001	49.3	0.126	1.82
0.002	35.8	0.0916	1.84
0.005	23.0	0.0589	1.84
0.01	16.3	0.0417	1.82
0.02	11.6	0.0297	1.82
0.05	7.36	0.0188	1.79
0.1	5.20	0.0133	1.79

コラム 4・4 当量伝導率

従来よく使われてきた量に電解質やイオンの当量伝導率(equivalent conductivity)とよばれるものがある．電荷数が z_+ のカチオン M の ν_+ 個と電荷数が z_- のアニオン A の ν_- 個とからできている電解質 B の当量伝導率というのは，B のモル伝導率 Λ_B を $\nu_+ z_+$ で割った量 $\Lambda_B / \nu_+ z_+$，また，電荷数 z_i のイオン i の当量イオン伝導率というのは，i のモル伝導率 λ_i を z_i の絶対値で割った量 $\lambda_i / |z_i|$ のことである．たとえば，Na$_2$SO$_4$ の当量伝導率は Na$_2$SO$_4$ のモル伝導率の 1/2 に等しく，Al^{3+} の当量伝導率は Al^{3+} のモル伝導率の 1/3 に等しい．当量伝導率という用語は便利なことも多いが，当量という言葉がもつあいまいさのために，今ではその使用を極力避けて，モル伝導率だけを使うように勧告されている．1価-1価型電解質や電荷数の絶対値が1に等しいイオンでは，当量(イオン)伝導率の値とモル伝導率の値とが一致するが，多価電解質($\nu_+ z_+ > 1$)や多価イオン($|z_i| > 1$)では両者の数値が異なるのではっきり区別する必要がある．それには，多価電解質 B の当量伝導率および多価イオン i の当量イオン伝導率の値を表すときには，それぞれ，$\Lambda\left(\frac{1}{\nu_+ z_+} B\right)$ および $\lambda\left(\frac{1}{|z_i|} i\right)$ のように書くことが勧告されている．たとえば，Na$_2$SO$_4$ および Al$_2$(SO$_4$)$_3$ の当量伝導率の値は $\Lambda\left(\frac{1}{2}\text{Na}_2\text{SO}_4\right)$ および $\Lambda\left(\frac{1}{6}\text{Al}_2(\text{SO}_4)_3\right)$ で，また，Mg^{2+} および Al^{3+} の当量イオン伝導率の値は $\lambda\left(\frac{1}{2}\text{Mg}^{2+}\right)$ および $\lambda\left(\frac{1}{3}\text{Al}^{3+}\right)$ で表す．

コラム 4・5 モル伝導率の濃度依存性 (経験式)

弱電解質のモル伝導率が濃度で変化する様子はアレニウスの理論〔(4・21)式参照〕でうまく説明できたが,強電解質ではこの理論が近似的にさえ成立しなかった.19世紀の末から20世紀初頭にかけて,この問題が強電解質の異常として注目を浴び,強電解質のモル伝導率の濃度依存性を表す経験式がいくつか提出された.任意に変えることのできるパラメーターが一つだけの経験式の例にはつぎのようなものがある.(Λ は濃度 c におけるモル伝導率,Λ^∞ は無限希釈におけるモル伝導率,K は定数).

$(\Lambda^\infty - \Lambda)/c^{1/3} = K$　　(Kholrausch, 1885〜1900)
$(\Lambda^\infty - \Lambda)/(\Lambda^{1/3} c^{1/3}) = K$　　(Barmwater, 1899)
$(\Lambda^\infty - \Lambda)/(\Lambda^{3/2} c^{1/2}) = K$　　(van't Hoff, 1895)
$(\Lambda^\infty - \Lambda)/(\Lambda^2 c^{1/2}) = K$　　(Rudolphi, 1895)
$(\Lambda^\infty - \Lambda)/c^{1/2} = K$　　(Kohlrausch, 1900)

これらの経験式の適用範囲はいずれも希薄水溶液に限られているが,興味深いのは,濃度項に $c^{1/3}$ と $c^{1/2}$ の 2 種類があることである.これらの式のうちで最後にあげたコールラウシュの経験式は,後に Onsager によって理論的裏付けが与えられることになる〔(4・24) 式を参照〕.

(4・21)式によって種々の濃度における解離度が求められ,さらにそれを用いて電解質の解離定数を決定することができる(表 4・5).しかし,解離度が比較的大きい電解質溶液の場合に解離度を正確に決定するには,§4・3 で述べるオンサーガーの理論などを用いて(4・20)式における(　)内の項を補正する必要がある.

4・3 イオンの移動度の濃度依存性

水溶液中における塩化ナトリウムのモル伝導率は,図 4・4 に示したように,濃度が高くなると小さくなる.塩化ナトリウムは,水溶液中では完全解離型電解質であるから,そのモル伝導率の低下は,ナトリウムイオンや塩化物イオンの移動度の減少に起因する.では,イオンの移動度が濃度で変わるのはなぜか? この問題に対する解答は,電解質溶液中におけるイオン間の相互作用に関するデバイ-ヒュッケル理論(1923 年)に基づいてイオンの移動度を解析した L. Onsager によって与えられた(1927 年).有限の濃度をもつ溶液中のイオンの移動度は,外部から加えら

れている電場の強さ，イオンの形，大きさ，および溶液の粘性率のほかに，イオン同士の間に働く相互作用によって影響されるであろう．比較的希薄な溶液中のイオンの熱力学的性質や運動論的性質を検討する際に最も重要なイオン間相互作用は静電的なクーロン力と考えられる．一対のイオン間に働くクーロン力は，各イオンの電荷の積に比例し，イオン間の距離の二乗に反比例する．したがって，この相互作用の影響は，多価イオンの高濃度溶液（濃度が高くなるとイオン間の平均距離が短くなる）ほど著しく，反対に1価イオンの低濃度溶液ではしだいに影響が少なくなる．さらに濃度が低下して無限に薄い溶液（無限希釈溶液）になるとクーロン力による影響を無視できるようになって，個々のイオンは共存するイオンには無関係にそれぞれ独自の性質を示すであろう．コールラウシュのイオン独立移動の法則は，このような理想的状況に対応するものである．

イオン雰囲気

溶液中の特定のイオン，たとえば電荷数 z_+ のカチオンに注目して，それを中心イオンとすると，そのまわりには中心イオンの電荷 z_+e を相殺するように反対符号の電荷 $-z_+e$ が存在しなければならない．これは，電気的中性の条件である．溶液が無限に希薄ならば，反対符号の電荷 $-z_+e$ は，中心イオンが占めている場所以外の全領域にわたって均一に分布する．しかし，溶液の濃度が高くなるにつれてイオン間のクーロン力が強くなると，反対符号の電荷をもつイオン同士が接近し，

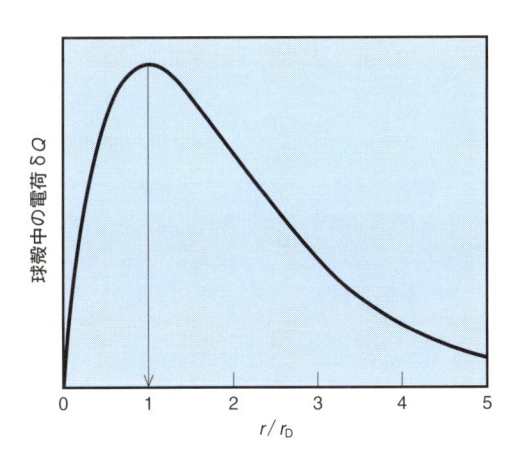

図 4・7 イオン雰囲気中の電荷分布

4. 電解質溶液の電気伝導性

同符号の電荷をもつイオン同士は離れる確率が増えてくる．その結果，中心イオンの周囲における電荷の分布が不均一になり，電荷 $-z_+e$ の大部分は中心イオンの比較的近傍に分布するようになるであろう．P. J. W. Debye と E. A. A. J. Hückel はイオン間の静電的相互作用に関するデバイ-ヒュッケル理論（コラム 4・6 参照）を展開して，中心イオンを取囲む微小な厚さの球殻中に含まれる電荷 δQ は，中心イオンからの距離 r がある特定の値 r_D のところで最大になることを示した（図 4・7）．この結果をモデル的に表せば，中心イオンはあたかもある厚さの反対電荷

コラム 4・6 デバイ-ヒュッケル理論

Debye と Hückel は，イオンを含む溶液を，比誘電率が ε_r の連続媒体中に点電荷が存在するというモデルで近似し，イオン間に働く相互作用は静電的なクーロン力によるものと仮定して，注目したイオン i からの距離が r の点の静電ポテンシャル ϕ を計算した．無限希釈状態では，イオン i のまわりには i による電荷以外は存在しないと考えてよい．したがって，イオン i のまわりの静電ポテンシャルは i の電荷 z_ie〔z_i の電荷数（符号を含む），e は電気素量〕と i からの距離 r だけで決まるはずである．その値を ϕ_1 とする．これに対して，有限の濃度の溶液では，イオン i のまわりに他のイオンが分布していて，それらのイオン間には静電的な相互作用が働いている．その結果，イオン i のまわりの静電ポテンシャルは ϕ_1 だけでは決まらず，相互作用に基づく補正項 ϕ_2 を加算する必要がある（$\phi = \phi_1 + \phi_2$）．デバイ-ヒュッケル理論によると補正項 ϕ_2 が近似的に次式で与えられる．

$$\phi_2 = -\left(\frac{z_ie}{4\pi\varepsilon_0\varepsilon_r}\right)\left(\frac{1-e^{-\kappa r}}{r}\right)$$

$$\frac{\kappa^{-1}}{\mathrm{cm}} = \frac{r_D}{\mathrm{cm}} = 1.988 \times 10^{-10}\sqrt{\frac{\varepsilon_r(T/\mathrm{K})}{I/\mathrm{mol\,dm^{-3}}}}$$

ここで，ε_0 は真空の誘電率，T は熱力学温度，I は溶液のイオン強度，r_D はイオン雰囲気の半径である．溶液が希薄なほど，イオン雰囲気の半径 r_D が大きく（κ が小さく），したがって ϕ_2 が小さくなることがわかる．25 ℃ の水溶液の場合，イオン強度が 0.001 mol dm^{-3} ならば r_D は約 9.8 nm，イオン強度が 0.4 mol dm^{-3} ならば r_D が約 0.49 nm となる．

完全解離する強電解質の希薄水溶液の諸性質（溶媒や溶質の活量，沸点上昇，凝固点降下，浸透圧，電気伝導率，拡散係数など）はデバイ-ヒュッケル理論でかなりよく説明することができる．（詳しくは参考書 3 を参照されたい．）

4・3 イオンの移動度の濃度依存性

の衣を着たようになると考えられる．このような電荷の分布を**イオン雰囲気**(ionic atmosphere)といい，r_D をイオン雰囲気の半径またはデバイ半径という．イオン雰囲気の性質は，溶液中に含まれているすべてのイオンの種類や濃度に依存し，これらのイオンの電荷数の絶対値が大きいほど，また濃度が高いほどイオン雰囲気の構造が密に（r_D が小さく）なる．このようなイオン雰囲気で囲まれた中心イオンは，もはやそれ自身に固有の速度で移動することはできない．直感的にわかるように，イオン雰囲気が密になるにつれて中心イオンの移動速度が遅くなるであろう．

オンサーガーの理論式

Onsager はイオン間の静電相互作用に関するデバイ-ヒュッケル理論に基づいて，希薄溶液中における完全解離型電解質のモル伝導率の濃度依存性に対してつぎの理論式を導いた．

$$\Lambda = \Lambda^\infty - \frac{S\sqrt{I}}{1 + Ba\sqrt{I}} \tag{4・22}$$

ここで，Λ^∞ は無限希釈におけるモル伝導率，S および B は電解質を構成しているイオンの種類および電荷数，溶媒の誘電率，粘性率，および温度で決まり，溶液の濃度にはよらない理論係数である．また I は，

$$I = \frac{1}{2} \Sigma c_i z_i^2 \tag{4・23}$$

で与えられる量で，これを溶液の**イオン強度**(ionic strength)という．ここで，c_i および z_i は溶液中に含まれているイオン種 i の物質量濃度および電荷数，また Σ は溶液中に含まれているすべてのイオンについての和をとることを表すものである．(4・22)式の右辺第 2 項中の a は，問題の電解質を構成しているイオンの半径の和と同程度の大きさの量として導入されたものであるが，実際には純理論的に決められる量ではなく，a を調節して計算値が実測値となるべくよく合うようにする半経験的パラメーターである．a を**イオンサイズパラメーター**という．

十分に希薄な溶液では，$Ba\sqrt{I} \ll 1$ の条件が成立するとみなしてよい．したがって，(4・22)式を次式で近似できる．

$$\Lambda = \Lambda^\infty - S\sqrt{I} \tag{4・24}$$

この関係は，コールラウシュの経験式〔(4・13)式〕に理論的な裏付けを与えるもの

で,モル伝導率に関する**オンサーガーの極限則**(Onsager's limiting law)として知られている.特に,物質量濃度が c の1価-1価型電解質の水溶液(25 ℃)を例にとると(4・24)式はつぎのようになる.

$$\frac{\Lambda}{\text{S cm}^2\text{ mol}^{-1}} = \frac{\Lambda^\infty}{\text{S cm}^2\text{ mol}^{-1}} - \left(0.230\frac{\Lambda^\infty}{\text{S cm}^2\text{ mol}^{-1}} + 60.66\right)\sqrt{\frac{c}{\text{mol dm}^{-3}}} \quad (4 \cdot 25)$$

オンサーガーの理論式は,その誘導過程に含まれている近似のために,十分希薄な溶液でしか成り立たない.まず,塩化ナトリウムのような1価-1価型強電解質の水溶液についてオンサーガーの理論式を検討してみよう.図4・8の曲線(a)からわかるように,極限則(4・24)式がある程度の誤差以内で成立するのはたかだか 0.01 mol dm^{-3} までであるが,極限則の代わりに(4・22)式を用い,イオンサイズパラメーター a を適当に調整すると,約 1 mol dm^{-3} 程度までは実測値と計測値とがよく一致するようになる〔図4・8の曲線(b)〕.このように,完全解離する1価-1価型電解質のモル伝導率の濃度依存性は,溶液のイオン強度が約 1 mol dm^{-3} 程

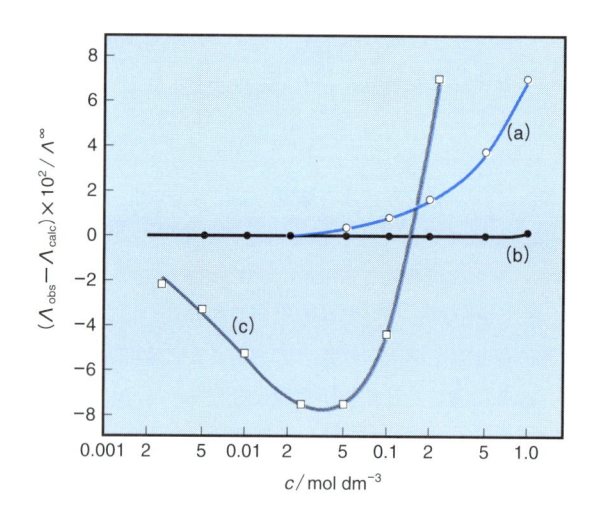

図4・8 モル伝導率の実測値 Λ_{obs} とオンサーガー式による計算値 Λ_{calc} との比較.(a) 塩化ナトリウム水溶液〔オンサーガー極限則(4・24)式〕,(b) 塩化ナトリウム水溶液〔オンサーガー式(4・22),$a=0.4$ nm〕,(c) 硫酸マグネシウム水溶液〔オンサーガー極限則(4・24)式〕

度以下であれば，オンサーガー理論でかなりよく説明することができる．しかし，たとえば水溶液中における硫酸マグネシウムのような 2 価金属硫酸塩のモル伝導率は，0.005 mol dm^{-3} 程度の低濃度でも理論式からの著しいずれを示す．しかも，図 4・8 の曲線(c)から明らかなように，このずれの方向は塩化ナトリウムの場合とは逆であって，イオンサイズパラメーターを考慮しても補正することはできない．このように，完全解離を前提とした理論式によるモル伝導率の計算値が実測値を上回るという事実は，溶液中でカチオンとアニオンが対を作る現象を示唆するものと考えられている．たとえば，硫酸マグネシウムの場合，Mg^{2+} と SO_4^{2-} の間には比較的強い静電的な引力が働く結果，この両者が一対となって行動する可能性が生ずる．このようなカチオンとアニオンの対を**イオン対**(ion pair)という．この種のイオン対は，全体としての電荷が中和されているので，その生成は伝導率を低下させるはずである．水溶液中の硫酸マグネシウムの場合，個々の独立したイオン Mg^{2+} および SO_4^{2-} とイオン対 $Mg^{2+} \cdot SO_4^{2-}$ との間には平衡関係が成立していると仮定して，不完全解離型電解質の場合に類似の解析を行うと，0.005 mol dm^{-3} 程度の濃度までモル伝導率をよく説明できることがわかっている．しかし，図 4・8 の曲線(c)でおよそ 0.01 mol dm^{-3} 以上の濃度領域における硫酸マグネシウムのモル伝導率の挙動は，イオン対 $Mg^{2+} \cdot SO_4^{2-}$ の生成を考慮するだけでは到底説明できそうにない．多価イオンを含む電解質の溶液はもちろん，1 価-1 価電解質であっても特に高濃度の溶液は，われわれのまだ知らないことの多い領域なのである．

問 題

4・1 内径 1 cm，長さ 4 cm のガラス円筒中につぎの水溶液を満たしたとき，これらの液注の長さ方向における電気抵抗を概算せよ．
(1) 0.01 mol dm^{-3} のアンモニア水
(2) 0.005 mol dm^{-3} の $K_4[Fe(CN)_6]$ 水溶液

ただし，温度は 25 ℃，アンモニアの解離定数は $K_b = 1.75 \times 10^{-5}$ mol dm^{-3}，また，$K_4[Fe(CN)_6]$ は K^+ と $[Fe(CN)_6]^{4-}$ に完全解離し，イオン間相互作用は無視できるものとする．

4・2 つぎの滴定に伴う電気伝導率の変化を定性的に考察し，この方法によって滴定終点を決定できることを示せ．
(1) 塩酸水溶液を水酸化ナトリウム水溶液で滴定する．

(2) 酢酸水溶液を水酸化ナトリウム水溶液で滴定する．
(3) 酢酸ナトリウム水溶液を塩酸水溶液で滴定する．
(4) 水溶液中の AsO_3^{3-} をヨウ素で滴定する．

4・3 25 ℃ の水溶液中におけるフッ化水素(HF)の解離定数 K_a は $6.76×10^{-4}$ mol dm^{-3} である．濃度 0.05 mol dm^{-3} のフッ化水素水溶液(25 ℃)についてつぎの問に答えよ．ただし，H^+，F^-，および HF の活量係数はすべて 1 とする．
(1) この溶液中におけるフッ化水素の解離度はいくらか．
(2) この溶液中における HF のモル伝導率 Λ，およびこの溶液の伝導率 κ を求めよ．ただし，イオン間相互作用の影響および溶媒の伝導率は無視できるものとする．
(3) この溶液を，断面積 2.5 cm^2，長さ 15 cm のプラスチックの筒に入れた場合，その液柱の抵抗を求めよ．

4・4 セル定数 $K_{cell}=1.80$ cm^{-1} の容器を使って，種々の濃度の塩化ナトリウム水溶液(25 ℃)の電気抵抗 R を測定した結果を表に示す．
(1) 各溶液について伝導率 κ および塩化ナトリウムのモル伝導率 Λ を求め，無限希釈における塩化ナトリウムのモル伝導率 Λ^∞ を決定せよ．
(2) アレニウスの法則が成り立つと仮定して，解離度 α および平衡定数 K を計算してみよ．その結果からどのようなことがわかるか．
(3) オンサーガーの極限則によるモル伝導率の計算値と測定値とを比較してみよ．

濃度 c/mol dm^{-3}	抵抗 R/kΩ
0.0005	28.9
0.001	14.6
0.002	7.34
0.005	2.99
0.01	1.52
0.02	0.777
0.05	0.327
0.1	0.169

4・5 ワルデンの規則によれば，無限希釈におけるイオンの移動度(またはモル伝導率)と溶媒の粘性率との積(これをワルデン積という)は一定になるはずである．
異なる溶媒中での Li^+ およびテトラエチルアンモニウムイオン$(C_2H_5)_4N^+$ の無限希釈におけるモル伝導率と溶媒の粘性率を次ページの表に示す．それぞれのワルデン積を求めてワルデンの規則が成り立つかどうかを検討し，両イオンについて違いが認められれば，その理由を考察せよ．

溶　媒	粘性率 η/mPa s	λ^∞/S cm^2 mol^{-1}	
		Li$^+$	(C$_2$H$_5$)$_4$N$^+$
水	0.890	38.7	32.7
メタノール	0.545	39.6	60.5
エチレングリコール	16.6	2.11	2.20
アセトニトリル	0.35	69.3	84.8

4・6 水溶液(25 ℃)中におけるリチウムイオンおよびカリウムイオンのモル伝導率の極限値は $\lambda^\infty(\mathrm{Li}^+)=38.7$ S cm^2 mol^{-1} および $\lambda^\infty(\mathrm{K}^+)=73.5$ S cm^2 mol^{-1} である.

(1) 水溶液中におけるリチウムイオンおよびカリウムイオンのストークス半径を求めよ. ただし, 溶液の粘性率は $\eta=0.89\times10^{-3}$ Pa s とする.

(2) リチウムイオンおよびカリウムイオンの結晶イオン半径は, それぞれ, 0.073 nm および 0.152 nm である. 水溶液中におけるイオンのストークス半径と結晶イオン半径とを比較し, その結果について考察せよ.

参 考 書

電気化学 一般

1) 田村英雄，松田好晴，"現代電気化学"，培風館(1977).
2) 電気化学会 編，"新しい電気化学"，培風館(1984).
3) 玉虫伶太，"電気化学(第2版)"，東京化学同人(1991).
4) 喜多英明，魚崎浩平，"電気化学の基礎"，技報堂出版(1983).
5) 電気化学会 編，"先端電気化学"，丸善(1994).
6) 喜多英明 編著，"電極触媒の科学"，北海道大学図書刊行会(1995).

測 定 法

7) 日本化学会 編，"続実験化学講座 7 分析化学の反応と新技術"，5〜7章，丸善(1966).
8) 日本化学会 編，"第四版実験化学講座 9 電気・磁気"，1, 2, 6 章，丸善(1991).
9) 藤嶋 昭，相澤益男，井上 徹，"電気化学測定法(上,下)"，技報堂(1984).
10) 電気化学会 編，"新編電気化学測定法"，電気化学会(1988).
11) 電気化学会 編，"(続)電気化学測定法"，電気化学会(1995).
12) 佐藤寿邦，高橋勝緒，"化学計測のためのエレクトロニクス"，丸善(1986).
13) 佐藤 弦，本橋亮一，"pH を測る"，丸善(1987).
14) 逢坂哲弥，小山 昇，大坂武男，"電気化学法 —— 基礎測定マニュアル"，講談社(1989).

データ集

15) 電気化学協会 編，"電気化学便覧 第4版"，丸善(1985).
16) 日本化学会 編，"改訂4版 化学便覧 基礎編Ⅰ,Ⅱ"，丸善(1993).

問題の解答

1 章

1・1 p.2, 3 および §1・1, 1・2, コラム 3・4 を参照.

1・2 たとえばダニエル電池を例にとって, 具体的に説明せよ(p. 7～9 を参照).

1・3 電極反応が酸化方向に進む電極をアノード, 還元方向に進む電極をカソードと定義する.

1・4
(1) アノード: $Cu \rightarrow Cu^{2+} + 2e^-$
　　カソード: $2H^+ + 2e^- \rightarrow H_2$

(2) アノード: $H_2O \rightarrow \frac{1}{2}O_2 + 2H^+ + 2e^-$
　　カソード: $2H^+ + 2e^- \rightarrow H_2$

(3) アノード: $2Cl^- \rightarrow Cl_2 + 2e^-$
　　および $2Cl^- + H_2O \rightarrow HCl + HClO + 2e^-$
　　カソード: $2H_2O + 2e^- \rightarrow H_2 + 2OH^-$

1・5【ポイント】 電池の端子間電圧と電流: 電池全体としての電力供給能力. 取出す電流の増大による端子間電圧の低下は, その電池の内部抵抗の大きさ(電極での反応の起こりやすさや電池内のイオンの移動しやすさ)を示す. 電流がゼロのときの端子間電圧は電池の起電力.

電極電位と電流: 注目した電極での電極反応の起こりやすさ. どんな電位で, 酸化や還元反応が起こるか.

2 章

2・1
(1) 電位差を U とすると,
$$I = \frac{U}{R} = \frac{1.6\,\text{V}}{200\,\Omega} = 0.008\,\text{A}$$

(2) 銀の析出量を n とすると,
$$n = \frac{It}{F} = \frac{0.008\,\text{A} \times 6 \times 60\,\text{s}}{9.65 \times 10^4\,\text{C mol}^{-1}} = 2.98 \times 10^{-5}\,\text{mol}$$

(3) 右
(4) $Ag^+ + e^- \rightarrow Ag$
(5) 還元

(6) 反応速度を v とすると,
$$v = \frac{I}{F} = \frac{0.008\,\text{A}}{9.65 \times 10^4\,\text{C mol}^{-1}} = 8.3 \times 10^{-8}\,\text{mol s}^{-1}$$

(7) $n = F^{-1}\int I\,\text{d}t$

ただしこの問題では, 平均電流 $I = 0.5\,\text{A}$ となり,
$$n = \frac{It}{F} = \frac{0.5\,\text{A} \times 10 \times 60\,\text{s}}{9.65 \times 10^4\,\text{C mol}^{-1}} = 3.1 \times 10^{-3}\,\text{mol}$$

2·2 電極反応は $Cu^{2+} + 2e^- \rightarrow Cu$, 銅のモル質量は $63.5\,\text{g mol}^{-1}$ である. そこで, 銅の析出量 w は,
$$w = 63.5\,\text{g mol}^{-1} \times \left(\frac{It}{2F}\right)$$
$$= \frac{63.5\,\text{g mol}^{-1} \times 0.11\,\text{A} \times 60 \times 60\,\text{s}}{2 \times 9.65 \times 10^4\,\text{C mol}^{-1}} = 0.13\,\text{g}$$

となる. 実際の析出量が理論値より少なかった理由には, 銅が電極に密着せずはがれ落ちたこと, 水素発生など銅の析出以外の還元反応が起きたこと, などが考えられる.

2·3 水の電気分解における電極反応,
$$2H_2O + 2e^- \rightarrow H_2 + 2OH^-$$
によって毎分 $10\,\text{cm}^3$ の水素ガスが発生するときの反応速度は,
$$v = \frac{10\,\text{cm}^3 / 22400\,\text{cm}^3\,\text{mol}^{-1}}{60\,\text{s}} = 7.4 \times 10^{-6}\,\text{mol s}^{-1}$$
である. そこで, 反応速度と電流の関係は(2·6)式によって, 必要な電流は
$$I = 2 \times 9.65 \times 10^4\,\text{C mol}^{-1} \times 7.4 \times 10^{-6}\,\text{mol s}^{-1} = 1.4\,\text{A}$$
となる.

2·4 (2·36)式において, 近似式,
$$e^x = 1 + x + \frac{x^2}{2} + \cdots \doteqdot 1 + x\,(x \ll 1)$$
および(2·21)式を用いれば, $\eta \ll 1$ において,
$$\frac{I}{I_0} \approx 1 + \frac{\alpha_a nF\eta}{RT} - \left(1 - \frac{\alpha_c nF\eta}{RT}\right) = \frac{(\alpha_a + \alpha_c)nF\eta}{RT}$$

よって,
$$\frac{I}{I_0} = \frac{nF\eta}{RT}$$

2・5 (2・38)式と(2・17)式とを比較すると，ターフェル式の係数 a, b が次式で与えられる．
$$a = I_0 \exp\left(\frac{\alpha_c nFE_e}{RT}\right), \quad b = \frac{\alpha_c nF}{RT}$$

2・6
(1) (a)の I_0 は(b)の I_0 に比べて大きい．(a)は(b)に比べて標準反応速度定数の大きな系，すなわち電気化学的により可逆的な系($\eta = 0$ からの微小な電位変化で，酸化も還元も進行しやすい系)である．
(2) 電極反応速度が拡散(または電子移動に付随する化学反応など)で支配されるようになる．拡散や化学反応過程の速度は電極電位に依存しないので電流がほぼ一定値となる．

2・7 鉄(II)/鉄(III)系の酸化還元の項(p.61, 62)を参照．
(5) $E_{1/2} = (0.15 + 0.09)/2 = 0.12$ V vs. SCE
$\qquad = 0.12 + 0.241 = 0.36$ V vs. SHE(p.97, 表3・4参照)

2・8
(1) 電流が $t^{-1/2}$ に比例することはコットレル式(2・39)を満足していることになり，電極反応が拡散律速となっていることを示唆している．
(2) コットレル式(2・39)より，
$$D = \pi t\left(\frac{I_d}{nFSc^\circ}\right)^2$$
$$= 3.14 \times 0.318 \text{ s}$$
$$\times \left(\frac{0.0116 \text{ A}}{1 \times 9.65 \times 10^4 \text{ C mol}^{-1} \times 0.3 \text{ cm}^2 \times 0.04 \times 10^{-3} \text{ mol cm}^{-3}}\right)^2$$
$$= 1.0 \times 10^{-4} \text{ cm}^2 \text{ s}^{-1}$$

3 章

3・1
(1) §3・1 および p.13, 14 を参照．
(2) §3・2 および p.17, 18 を参照．
(3) 組成の異なる二つの溶液が接触しているとき，溶液中に含まれている化学種の濃度(厳密には活量)の差に応じて両溶液間に生じる電位差(p.14 を参照)．たとえば，濃度の異なる二つの HCl 水溶液を接触させると，高濃度の方から低濃度の方に向かって H^+ と Cl^- が拡散で移動するが，H^+ の方が移動速度が速いために低濃度溶液の電位が高濃度溶液よりも高くなる．詳細については，たとえば参考書 3, 4 を参照．

3・2 金属のイオン化列 (p.84, 85) を参照.

3・3

(1) 左: $Ag + Cl^- \rightarrow AgCl + e^-$
　　右: $Ag^+ + e^- \rightarrow Ag$
　　$U_{emf} = 0.799\text{ V} + 0.059\text{ V} \log_{10} 0.03 - 0.197\text{ V} = 0.512\text{ V}$

(2) 左: $Ag + Cl^- \rightarrow AgCl + e^-$
　　右: $Cu^{2+} + 2e^- \rightarrow Cu$
　　$U_{emf} = 0.340\text{ V} + \dfrac{0.059\text{ V}}{2} \log_{10} 0.05 - 0.197\text{ V} = 0.105\text{ V}$

(3) 左: $Cu \rightarrow Cu^{2+} + 2e^-$
　　右: $Fe^{3+} + e^- \rightarrow Fe^{2+}$
　　$U_{emf} = 0.771\text{ V} - 0.059\text{ V} \log_{10} \dfrac{0.0005}{0.04}$
　　　　　$- \left(0.340\text{ V} + \dfrac{0.059\text{ V}}{2} \log_{10} 0.006\right) = -0.609\text{ V}$

(4) 左: $Ag \rightarrow Ag^+ + e^-$
　　右: $Ag^+ + e^- \rightarrow Ag$
　　$U_{emf} = \dfrac{RT}{F} \ln \dfrac{a_{Ag^+}(右)}{a_{Ag^+}(左)}$
　　　　　$= 0.059\text{ V} \log_{10} \dfrac{0.03}{0.2} = -0.0486\text{ V}$

3・4　$U_{emf} = -E^\ominus(Cl^-, AgCl | Ag) + \dfrac{RT}{F} \ln (a_{H^+} a_{Cl^-})$
　　　　　$= -0.222\text{ V} + 2 \times 0.059\text{ V} \log_{10} 0.2 = -0.304\text{ V}$

3・5　沈殿反応の項(p.89～91)参照.
$K_s(AgCl) = 1.77 \times 10^{-10}$, $K_s(AgBr) = 4.97 \times 10^{-13}$, $K_s(AgI) = 8.40 \times 10^{-17}$

3・6　クロムの添加量が少量であることから,電位は多量に存在する Fe^{2+}/Fe^{3+} 系で決まる.したがって,次の関係が成立する.

$$E^\ominus(Fe^{2+}/Fe^{3+}) - \dfrac{RT}{F} \ln \dfrac{c_{Fe^{2+}}}{c_{Fe^{3+}}} = E^\ominus(Cr^{2+}/Cr^{3+}) - \dfrac{RT}{F} \ln \dfrac{c_{Cr^{2+}}}{c_{Cr^{3+}}}$$

$$0.771\text{ V} = -0.424\text{ V} - 0.059\text{ V} \log_{10} \dfrac{c_{Cr^{2+}}}{c_{Cr^{3+}}}$$

よって,$\dfrac{c_{Cr^{2+}}}{c_{Cr^{3+}}} = 10^{\{-(0.771 + 0.424)/0.059\}} = 5.6 \times 10^{-21}$

4 章

4・1

(1) まず，濃度が $0.01\ \mathrm{mol\ dm^{-3}}$ の水溶液中のアンモニアの解離度を求める．解離定数 $K_\mathrm{b} = 1.75 \times 10^{-5}\ \mathrm{mol\ dm^{-3}}$ を用いて計算すると，

$$\alpha = \frac{-K_\mathrm{b} + (K_\mathrm{b}^2 + 4cK_\mathrm{b})^{1/2}}{2c} = 0.041$$

となる．したがって，この溶液中の $\mathrm{NH_4^+}$ および $\mathrm{OH^-}$ の濃度はともに $0.041 \times 0.01\ \mathrm{mol\ dm^{-3}} = 4.1 \times 10^{-7}\ \mathrm{mol\ cm^{-3}}$ に等しい．$\mathrm{NH_4^+}$ および $\mathrm{OH^-}$ の濃度および各イオンの無限希釈におけるモル伝導率(表 4・3)を(4・9)式に代入して計算すると，この溶液の伝導率は，

$$\kappa = 4.1 \times 10^{-7}\ \mathrm{mol\ cm^{-3}} \times (73.5\ \mathrm{S\ cm^2\ mol^{-1}} + 198.8\ \mathrm{S\ cm^2\ mol^{-1}})$$
$$= 1.12 \times 10^{-4}\ \mathrm{S\ cm^{-1}}$$

で与えられる．さらに電気抵抗は，

$$R = (\kappa \times 断面積 / 長さ)^{-1}$$
$$= (1.12 \times 10^{-4}\ \mathrm{S\ cm^{-1}} \times 0.5^2\, \pi\,\mathrm{cm^2} / 4\,\mathrm{cm})^{-1} = 45.5\ \mathrm{k\Omega}$$

となる．

(2) $\mathrm{K_4[Fe(CN)_6]}$ は水溶液中で完全解離しているものとする．(1)の場合と同様の計算によって，

$$\kappa = 3.68 \times 10^{-3}\ \mathrm{S\ cm^{-1}}, \quad R = 1.38\ \mathrm{k\Omega}$$

となる．

4・2

(1) 滴定反応は $\mathrm{HCl + NaOH \rightarrow NaCl + H_2O}$. $\mathrm{H^+}$ および $\mathrm{OH^-}$ のモル伝導率は，他のイオンに比べて大きい．したがって，酸およびアルカリのいずれか一方が過剰な状態では伝導率が高く，中和点(終点)で伝導率が極小となり，滴定曲線は V 字型を示す．

(2) 滴定反応は $\mathrm{CH_3COOH + NaOH \rightarrow CH_3COONa + H_2O}$. 酢酸は解離度が小さく伝導率は小さい．水酸化ナトリウム水溶液の添加により酢酸ナトリウムを生じ伝導率は上昇する．さらに中和点(終点)を過ぎると $\mathrm{OH^-}$ が過剰となり，伝導率が急激に上昇する．この変化率の相違で終点が決まる．

(3) 滴定反応は $\mathrm{CH_3COONa + HCl \rightarrow CH_3COOH + NaCl}$. 酢酸ナトリウム水溶液への塩酸(強酸)の添加に伴い，酢酸分子と塩化ナトリウムが生じる．この間の伝導率変化は少ない．終点を過ぎると，塩酸が過剰になり，急激な伝導率の上昇となる．

(4) 滴定反応は $\mathrm{AsO_3^{3-} + I_2 + H_2O \rightarrow AsO_4^{3-} + 2H^+ + 2I^-}$. 当量点までは $\mathrm{H^+}$ と $\mathrm{I^-}$ が生成するので伝導率が増加するが，当量点を過ぎると伝導率はほとんど変化しない．

4・3

(1) 解離度 α は解離定数 K_a から次式で求められる.

$$\alpha = \frac{-K_a + (K_a^2 + 4cK_a)^{1/2}}{2c}$$

上式に数値を入れて計算すると, 濃度 $c = 0.05\ \mathrm{mol\ dm^{-3}}$ における HF の解離度は $\alpha = 0.110$ となる.

(2) まず, 無限希釈における HF のモル伝導率 $\Lambda^\infty(\mathrm{HF})$ を求める〔(4・15)式および表4・3を参照〕.

$$\Lambda^\infty(\mathrm{HF}) = \lambda^\infty(\mathrm{H^+}) + \lambda^\infty(\mathrm{F^-}) = 405.2\ \mathrm{S\ cm^2\ mol^{-1}}$$

つぎに, 近似的にはアレニウスの法則〔(4・21)式〕が成り立つと仮定すると, この溶液中の HF のモル伝導率 Λ は,

$$\Lambda = \alpha \Lambda^\infty(\mathrm{HF}) = 0.110 \times 405.2\ \mathrm{S\ cm^2\ mol^{-1}} = 44.6\ \mathrm{S\ cm^2\ mol^{-1}}$$

で, また伝導率 κ は,

$$\kappa = \Lambda c = 44.6\ \mathrm{S\ cm^2\ mol^{-1}} \times 0.05 \times 10^{-3}\ \mathrm{mol\ cm^{-3}} = 0.00223\ \mathrm{S\ cm^{-1}}$$

で与えられる. (伝導率 κ を計算するときの濃度の単位は $\mathrm{mol\ cm^{-3}}$ であることに注意せよ).

(3) 液柱の抵抗は,

$$R = \left(\kappa \times \frac{\text{断面積}}{\text{長さ}}\right)^{-1} = (0.00223\ \mathrm{S\ cm^{-1}} \times 2.5\ \mathrm{cm^2}/15\ \mathrm{cm})^{-1}$$
$$= 2.69\ \mathrm{k\Omega}$$

4・4

(1) 伝導率 κ は次式で計算される.

$$\kappa = K_{\mathrm{cell}} R^{-1}$$

無限希釈におけるモル伝導率 Λ^∞ は, モル伝導率 Λ 対 $\sqrt{c}$ プロットの $c=0$ への補外により $\Lambda^\infty = 126.5\ \mathrm{S\ cm^2\ mol^{-1}}$ と求められる.

c $\mathrm{mol\ dm^{-3}}$	R $\mathrm{k\Omega}$	κ $10^{-5}\ \mathrm{S\ cm^{-1}}$	Λ $\mathrm{S\ cm^2\ mol^{-1}}$	$\alpha = \dfrac{\Lambda}{\Lambda^\infty}$	K $\mathrm{mol\ dm^{-3}}$	Λ_{calc} $\mathrm{S\ cm^2\ mol^{-1}}$	$\Lambda - \Lambda_{\mathrm{calc}}$ $\mathrm{S\ cm^2\ mol^{-1}}$
0.0005	28.92	6.225	124.6	0.9850	0.0323	124.5	0.1
0.001	14.61	12.32	123.2	0.9787	0.0450	123.7	0.1
0.002	7.341	24.52	122.6	0.9692	0.0610	122.5	0.1
0.005	2.990	60.20	120.4	0.9518	0.0940	120.2	0.2
0.01	1.520	118.4	118.4	0.9360	0.1369	117.5	0.9
0.02	0.7769	231.7	115.8	0.9154	0.1981	113.8	2.0
0.05	0.3270	550.4	110.1	0.8703	0.2920	106.4	3.7
0.1	0.1690	1065	106.5	0.8420	0.4487	98.1	7.6

問 題 の 解 答

(2) アレニウスの法則〔(4・21)式〕で求めた解離度から計算した K の値は濃度によって著しく変化する.この結果は,塩化ナトリウム水溶液の伝導率の濃度変化は電解質のイオン解離では説明できないことを示している.

(3) オンサーガーの極限則〔(4・24)式〕で計算したモル伝導率 Λ_calc は低濃度 ($0.005 \text{ mol dm}^{-3}$ 程度以下) では測定値とよく一致している.この結果は,強電解質の希薄溶液ではオンサーガーの理論が正しいことを証明するものである.

4・5

溶 媒	ワルデン積 ($\lambda^\infty \eta$)*	
	Li^+	$(C_2H_5)_4N^+$
水	34.4	29.1
メタノール	21.6	33.0
エチレングリコール	35.0	36.5
アセトニトリル	24.3	29.7

* 単位は $(\text{S cm}^2 \text{ mol}^{-1})(\text{mPa s})$

リチウムイオンに比べ,テトラエチルアンモニウムイオンの場合の方が,ワルデンの規則をよく満足している.この結果は,溶媒和しやすいリチウムイオンでは,溶媒によって溶媒和の程度が異なるためにストークス半径が変化するのに対して,後者では一般に溶媒和が起こりにくく,溶媒によるストークス半径の変化が少ないことによると考えられる.

4・6

(1) 電荷数が 1 のイオン i のモル伝導率 λ_i 〔(4・4)式〕を使って(4・16)式を書き換えると,ストークス半径 r_i が次式で与えられる (F はファラデー定数,N_A はアボガドロ定数,η は媒質の粘性率).

$$r_i = \frac{F^2}{6\pi N_A \eta \lambda_i}$$

これに数値を入れて計算すると,Li^+ および K^+ のストークス半径がつぎのように求められる.

$$r_i(Li^+) = 0.239 \text{ nm}, \quad r_i(K^+) = 0.126 \text{ nm}$$

(2) Li^+ と K^+ のイオン半径は,結晶中では $Li^+ < K^+$ である(原子構造から妥当)のに対し,溶液中において $Li^+ > K^+$ となっている.また,K^+ では両者が比較的近い値であるが,Li^+ では溶液中のストークス半径の方がかなり大きい.水溶液中で K^+ はほとんど水和していないが,水溶液中で実際に移動する Li^+ は水和によって結晶中よりもかなり大きな粒子になっていると考えられる.

索　引

あ　行

アノード　18
アルカリマンガン乾電池
　　　　　　　107
アレニウス式　34
アレニウスの法則　126
アンチモン電極　101

イオン化列
　　金属の――　84
イオン強度　131
イオンサイズパラメーター
　　　　　　　131
イオン選択性膜電極　103
イオン対　133
イオン伝導体　11
イオン伝導率　113
　　当量――　127
イオン独立移動の法則
　　コールラウシュの――　123
イオン雰囲気　129, 131
　　――の半径　131
板状電極　26
一次電池　106
移動係数　35, 38, 39
移動度　112
　　――の濃度依存性　128
　　無限希釈状態における
　　　　　　イオンの――　125
陰　極　18
インピーダンス　118

か

AFM　50
液間電位（差）　14
STM　50
塩　橋　16
円板（状）電極　26

オームの法則　111
オンサーガーの極限則　132
オンサーガーの理論　131

か

界面張力　46
化学センサー　98
可逆性
　　電極反応の――　62
拡　散　41
拡散係数　42
拡散支配　67
拡散層　41
拡散電位　14
拡散電流　41
拡散二重層　44
カソード　18
活性化エネルギー
　　電極反応の――　34
活性化ギブズエネルギー　39
活　量　76
活量係数　76
　　電解質の――　77
過電圧　40
　　水素――　63
ガラス電極　104

カロメル電極　16, 96, 100
　　――の平衡電極電位
　　　　　　　97, 101
還　元　4
　　銅イオンの――　56
　　溶存酸素の――　56
甘コウ電極　100
完全解離型電解質
　　――のモル伝導率　121
乾電池　106
　　――の起電力　107
　　アルカリマンガン――　107
　　マンガン――　106

き

基準電極　16
犠牲アノード法　87
起電力　13
　　――と酸化還元平衡　86
　　――と反応ギブズエネルギー
　　　　　　　74
　　――の測定装置　92
　　ダニエル電池の――　10
　　電池の――　73
　　電池の組成と――　78
　　標準――　79
　　マンガン乾電池の――
　　　　　　　107
ギブズエネルギー　2, 3
　　活性化――　39
　　反応――　74
　　標準反応――　76

146

索　引

ギブズの等温吸着式　46
吸　着
　　塩化物イオンの水銀
　　　　　　　への――　44
　　電極面への――　48
強電解質
　　――に関するデバイ-
　　　　ヒュッケル理論　130
極微小電極　58
局部電池　86
銀-塩化銀電極　16, 96
　　――の平衡電極電位　96
銀-銀イオン電極　93
　　――の平衡電極電位　94
金属電極　25
金電極　26
銀電池　108
銀-ハロゲン化銀電極　95
　　――の平衡電極電位　95
キンヒドロン電極　102
　　――の平衡電極電位　102

く～こ

クロノアンペロメトリー　66

限界電流　41
原子間力顕微鏡　50

交換電流　36
酵素センサー　98
交流ポーラログラフィー　58
コットレル式　42, 68
コールラウシュの経験式　122
コールラウシュブリッジ　115

さ　行

サイクリックボルタモグラム
　　　　　　　　　　　54
　　鉄イオンの酸化還元
　　　　　　　の――　61
　　銅イオンの還元の――　57
　　パラジウム電極を
　　　　　　用いた――　64
　　溶存酸素の還元の――　55

サイクリックボルタンメトリー
　　　　　　　　　　　54
錯形成反応
　　――と平衡電極電位　88
作用電極　16, 25
酸　化　4
酸化還元
　　水素/水素イオン系
　　　　　　　の――　62
　　鉄(Ⅱ)/鉄(Ⅲ)系
　　　　　　　の――　61
酸化還元電極　102
酸化還元平衡
　　――と起電力　86
酸化物電極　101
参照電極　16
酸素-水素燃料電池　109
酸素センサー　98
残余電流　55

仕　事　1, 2
　　電気的――　4, 107
支持電解質　22
弱電解質
　　――のモル伝導率　120,
　　　　　　　　　　126
自由エネルギー　3
修飾電極　52
充　電　10
　　ダニエル電池の――　10
　　鉛蓄電池の――　109
充電電流　55
食塩電解工業　65

水素過電圧　63
水素吸蔵　65
水素電極　91
　　――の平衡電極電位　91
水素電極尺度　93
ストークス半径　125

生成定数
　　――の決定　89
セル定数　115
ゼロ電荷電位　47
センサー　98
　　化学――　98
　　酵素――　98
　　酸素――　98
　　バイオ――　99

全電流　32, 37

走査型トンネル顕微鏡　50

た, ち

第1種可逆電極　94
第2種可逆電極　95, 101
ダニエル電池　4
　　――の電流-電圧曲線　10
　　――の放電　7, 10
　　――の放電曲線　8
ターフェル式　34, 41
ターフェルプロット
　　水素/水素イオン系
　　　　　　　の――　63
端子間電圧　14
　　電池の――　6, 10, 73
炭素電極　27

蓄電池　108
沈殿反応
　　――と平衡電極電位　89

て, と

定圧反応熱　79
抵抗率　111
ディスク電極　26
滴下水銀電極　26, 27, 46
デバイ半径　131
デバイ-ヒュッケル極限則　77
デバイ-ヒュッケル理論　130
電　圧
　　――の測定　12
　　過――　40, 63
　　端子間――　6, 10, 14, 73
　　電池の――　6
電圧フォロワー回路　12
電　位
　　液間――　14
　　拡散――　14
　　ゼロ電荷――　47
　　電極――　14
　　内部――　7
　　標準電極――　36, 62, 83

索　引

147

電　位（つづき）
　平衡―― 18
　平衡電極―― 18, 36, 80
　膜―― 103
電位差
　2相間の―― 90
電位差滴定　90
電解工業　65
電解質
　完全解離型―― 121
　強―― 130
　支持―― 22
　弱―― 120, 126
　不活性な―― 21
　不完全解離型―― 121, 126
電解電流　30
電気化学列　84
電気的仕事　4, 107
電気伝導率→伝導率
電気二重層　44, 54
　――の微分容量　47
　――のモデル　45
電気分解　3
　――の法則　30, 31
　水の―― 19
電気毛管曲線　46
電気毛管極大　46
電　極　5
　アンチモン―― 101
　イオン選択性膜―― 103
　板状―― 26
　円板（状）―― 26
　ガラス―― 104
　カロメル―― 16, 96, 100
　甘コウ―― 100
　基準―― 16
　極微小―― 58
　金―― 26
　銀-塩化銀―― 16, 96
　銀-銀イオン―― 93
　金属―― 25
　銀-ハロゲン化銀―― 95
　キンヒドロン―― 102
　作用―― 16, 25
　酸化物―― 101
　参照―― 16
　修飾―― 52
　水素―― 91
　第1種可逆―― 94

電　極
　第2種可逆―― 95, 101
　炭素―― 27
　ディスク―― 26
　滴下水銀―― 26, 27, 46
　白金―― 26
　パラジウム―― 64
　標準水素―― 82
　不活性な―― 21
電極電位　14
　標準―― 36, 62, 83
　平衡―― 18, 36, 80
電極反応　9
　――と電流　29
　――の解析　52
　――の可逆性　62
　――の速度　30
　――の平衡条件　36
電極反応速度定数　32
　――の電極電位依存性　34
電極面濃度　33
電極/溶液界面
　――の構造　43
　――の探究　50
電子伝導体　11
電　池　3
　――の起電力　73
　――の端子間電圧　6
　――の電圧　6
　一次―― 106
　局部―― 86
　実用―― 106
　ダニエル―― 4, 5
　二次―― 108
　燃料―― 109
　濃淡―― 99
電池図式　5
電池反応　9
伝導率　111
　――の測定　114
　イオン―― 113
　塩化ナトリウムの―― 119
　酢酸の―― 120
　当量―― 127
　当量イオン―― 127
　純水の―― 117
　モル―― 113, 119, 121〜123, 126, 128, 131
　溶液の―― 112
伝導率測定用標準溶液　116

電　流　10
　――と電極反応　29
　――の測定　12
　――の符号　18
　拡散―― 41
　限界―― 41
　交換―― 36
　残余―― 55
　充電―― 55
　全―― 32, 37
　電解―― 30
　ファラデー―― 30
　部分アノード―― 32, 37
　部分カソード―― 32, 37
電流-時間曲線
　――の測定　66
電流-電圧曲線
　ダニエル電池の―― 10
　水の電気分解に
　　おける―― 19
電流-電圧交換回路
　無抵抗―― 13
電流-電位曲線　15
　――の測定　52
　――の測定装置　17
　――を表す基本式　40
　水素/水素イオン系
　　の―― 63
　銅｜銅イオン系の―― 16
　水の電気分解に
　　おける―― 23
当量イオン伝導率　127
当量伝導率　127

な　行

内部電位　7
鉛蓄電池　108
　――の充電・放電　109
二次電池　108
2電極セル　115
　――の電気的等価回路　118
ネルンスト式　36
　平衡電極電位
　　に関する―― 81

索引

燃料電池 109
　酸素-水素—— 109

濃淡電池 99

は, ひ

バイオセンサー 99
白金電極 26
バトラー式（バトラー-フォルマー式） 35
バトラーの理論 34
パラジウム電極
　——を用いたサイクリックボルタモグラム 64
パルスポーラログラフィー 58
半電池反応 9
反応ギブズエネルギー
　——と起電力 74
　標準—— 76

pH
　——の測定 104
pH 標準溶液 106
pH メーター 104
光電気化学 69
微分パルスポーラログラフィー 58
微分容量
　電気二重層の—— 47
標準起電力 79
　——の温度依存性 79
　濃度基準の—— 79
標準状態 84
標準水素電極 82
標準速度定数 37, 38
標準電極電位 83
　——の推定 62
　濃度基準の—— 36
標準反応エンタルピー 79
標準反応ギブズエネルギー
　——と平衡定数 76
表面解析
　——の手法 50
表面過剰濃度 46
表面電荷密度 46

ふ

ファラデーインピーダンス 118
ファラデー定数 30
ファラデー電流 30
ファラデーの（電気分解の）法則 30, 31
ファントホッフの反応等圧式 79
フィックの法則 41, 43
フィックの第一法則 43
フィックの第二法則 43
負荷
　電気的な—— 4
不完全解離型電解質
　——のモル伝導率 121, 126
腐食 86
部分アノード電流 32, 37
部分カソード電流 32, 37
分極状態
　電極の—— 45, 54
分光法
　——による電極/溶液界面の解析 50

へ, ほ

平衡定数 76
　——の温度依存性 79
　標準反応ギブズエネルギーと—— 76
平衡電位 18
平衡電極電位 18, 36, 80
　——と錯形成反応 88
　——に関するネルンスト式 81
　——の測定 91
カロメル電極
　——の—— 97, 101
銀-塩化銀電極の—— 96
銀-銀イオン電極の—— 94
銀-ハロゲン化銀電極の—— 95
平衡電極電位
　キンヒドロン電極の—— 102
　沈殿反応と—— 89
　標準水素電極を基準とした—— 82
ヘルムホルツエネルギー 3
ヘルムホルツ固定層 44

防食 87
放電 7
　ダニエル電池の—— 7, 10
　鉛蓄電池の—— 109
　マンガン乾電池の—— 107
放電曲線
　ダニエル電池—— 8
ポテンシオスタット 20, 52
ポーラログラフィー 58
　交流—— 58
　パルス—— 58
　微分パルス—— 58
ボルタンメトリー 52, 58
　サイクリック—— 54
　線形掃引—— 53

ま 行

マーカス理論 39
膜電位 103
マンガン乾電池 106
　——の起電力 107
　——の放電 107

無抵抗電流-電圧変換回路 13

めっき 60

モル伝導率
　——の濃度依存性 128, 131
　イオンの—— 113
　弱電解質の—— 120, 126
　電解質の—— 119
　不完全解離型電解質の—— 121, 126
　無限希釈における—— 122, 123

や〜わ

輸 率　113

溶解度積
　　──の決定　90
陽 極　18
溶存酸素
　　──の還元　56

4 電極セル　116

リチウム電池　108

ワルデンの規則　125

玉虫 伶太（1926〜2015）
1948年 東京大学理学部化学科 卒
理化学研究所 名誉研究員
専攻 電気化学, 溶液化学
理学博士

高橋 勝緒
1939年 東京に生まれる
1962年 学習院大学理学部化学科 卒
前 理化学研究所 参事（物質基盤研究担当）
専攻 電気化学
理学博士

第1版 第1刷 2000年1月25日 発行
第9刷 2019年5月20日 発行

エッセンシャル 電気化学

© 2000

著 者	玉虫 伶太
	高橋 勝緒
発行者	小澤 美奈子
発 行	株式会社 東京化学同人

東京都文京区千石3丁目36-7(〒112-0011)
電話 (03) 3946-5311・FAX (03) 3946-5317

印 刷 大日本印刷株式会社
製 本 株式会社 松岳社

ISBN978-4-8079-0515-7 Printed in Japan
無断転載および複製物（コピー，電子データなど）の無断配布，配信を禁じます．

元素

	原子番号
	元素記号
	元素名 原子量

周期 \ 族	1	2	3	4	5	6	7	8	9
1	1 **H** 水素 1.008								
2	3 **Li** リチウム 6.941	4 **Be** ベリリウム 9.012							
3	11 **Na** ナトリウム 22.99	12 **Mg** マグネシウム 24.31							
4	19 **K** カリウム 39.10	20 **Ca** カルシウム 40.08	21 **Sc** スカンジウム 44.96	22 **Ti** チタン 47.87	23 **V** バナジウム 50.94	24 **Cr** クロム 52.00	25 **Mn** マンガン 54.94	26 **Fe** 鉄 55.85	27 **Co** コバルト 58.93
5	37 **Rb** ルビジウム 85.47	38 **Sr** ストロンチウム 87.62	39 **Y** イットリウム 88.91	40 **Zr** ジルコニウム 91.22	41 **Nb** ニオブ 92.91	42 **Mo** モリブデン 95.96	43 **Tc** テクネチウム (99)	44 **Ru** ルテニウム 101.1	45 **Rh** ロジウム 102.9
6	55 **Cs** セシウム 132.9	56 **Ba** バリウム 137.3	57〜71 ランタノイド	72 **Hf** ハフニウム 178.5	73 **Ta** タンタル 180.9	74 **W** タングステン 183.8	75 **Re** レニウム 186.2	76 **Os** オスミウム 190.2	77 **Ir** イリジウム 192.2
7	87 **Fr** フランシウム (223)	88 **Ra** ラジウム (226)	89〜103 アクチノイド	104 **Rf** ラザホージウム (267)	105 **Db** ドブニウム (268)	106 **Sg** シーボーギウム (271)	107 **Bh** ボーリウム (272)	108 **Hs** ハッシウム (277)	109 **Mt** マイトネリウム (276)

	57 **La** ランタン 138.9	58 **Ce** セリウム 140.1	59 **Pr** プラセオジム 140.9	60 **Nd** ネオジム 144.2	61 **Pm** プロメチウム (145)	62 **Sm** サマリウム 150.4	63 **Eu** ユウロピウム 152.0
ランタノイド							
アクチノイド	89 **Ac** アクチニウム (227)	90 **Th** トリウム 232.0	91 **Pa** プロトアクチニウム 231.0	92 **U** ウラン 238.0	93 **Np** ネプツニウム (237)	94 **Pu** プルトニウム (239)	95 **Am** アメリシウム (243)